Book 1

男孩的科学冒险书

征服无人岛绝境

〔韩〕朴常俊 〔韩〕朴敬洙 著
〔韩〕李宇一 绘　杨俊娟 译

南海出版公司

新经典文化股份有限公司
www.readinglife.com
出　品

生存能力阶段测验

鲁滨逊搭上飞机，准备开始一次精彩的海外旅行。

不知过了多久，伴随着阵阵怪声，飞机像做“空中表演”似的剧烈摇晃起来，鲁滨逊吓得浑身发抖，晕了过去。

当他再次睁开眼睛的时候，已经身处无人岛了。

本来梦想着去一个新世界，却没想到来到了一片完全一无所知的地方。

他能够依靠智慧生存下去吗?

让我们先通过下面这个阶段测验，检测一下他活下来的可能性有多大。

在每个阶段所列的事情中，如果会做两件以上，就可以过关，生存可能性也会随之增加。

如果不能顺利过关的话会怎么样呢?

很遗憾，那他就只能听从骷髅先走一步的忠告了。

在无人岛上，拨不通求救电话，没有神仙，更不会有过路人。

现在，一场性命攸关的生存游戏开始了。

但愿鲁滨逊能够顺利通过所有的测试，成为一名顽强的无人岛居民……

在每个阶段所列的事情中，如果会做两件以上，就可以过关，进入下一步，否则就只能听听骷髅的忠告了。

第一阶段：制造淡水

- 知道哪些动物或者植物生活在水边。
- 能够简单地利用碎石或者沙子把水净化。
- 能够利用海水制造淡水。
- 了解淡水不足时应注意的活动准则。

可能生存时间：3 天

“快来，快点儿盖上草躺下。”

第二阶段：寻找食物

- 会从水里抓螃蟹和贝类。
- 即使没有钓鱼工具也能抓到鱼。
- 懂得区分可以食用和不能食用的植物。
- 会制造打猎用的捕兽器和陷阱。

可能生存时间：7 天

“笨蛋！连要饭也不会吗？”

第三阶段：生火

- 会钻木取火。
- 知道哪些石头可以作为火石使用。
- 会利用水和塑料取火。
- 知道怎样用火在白天和晚上发出求救信号。

可能生存时间：15 天

“傻瓜，动动脑子嘛，用火石呀。”

第四阶段：搭建庇护所

- 知道哪里适宜搭建庇护所。
- 会挑选适宜搭建庇护所的木材。
- 知道使用哪些材料可以防水和通风。
- 知道没有钉子时怎样把木头绑起来，搭建出一座 A 字形的茅屋。

可能生存时间：30 天

“现在你知道无家可归有多可怜了吧。”

第五阶段：健康检查

- 知道基本的疾病诊断方法。
- 了解压力会对身体各方面的机能产生什么样的恶劣影响。
- 知道摆脱不安和恐惧心理的方法。
- 知道两种以上的草药。

可能生存时间：60 天

“太可惜了，呼吸运动只能到此为止了。”

第六阶段：制造木筏

- 知道怎样搬运造木筏用的木材。
- 知道怎样才能把木筏绑得更结实。
- 知道什么样的木筏可以减少水的阻力。
- 知道并能预测划木筏出海的最佳天气。

成功离开

“一路顺风啊，有空再来玩。”

前言

很多人都喜欢无人岛。即使不能亲自前往，也总是充满了无限的憧憬。在无人岛上，究竟有什么如此吸引着人们呢？炽热灿烂的阳光，一望无垠的大海，郁郁葱葱的原始森林，还有无数的野生动物。浪漫、孤独、刺激、冒险……这就是无人岛。

然而，如果真的独自留在无人岛上会怎么样呢？在无人岛上，没有自来水，也没有煤气炉，打不通手机，也没法叫外卖。除了泥土、大海和一直生活在那里的动植物以外，无人岛上没有任何东西是为了让人类生活而存在的。一滴水都要亲自去找，一个火苗都要亲手点燃，在这样的状况下，无人岛还能是一个浪漫的小岛吗？

如果想和自然较量，就必须付出百分之百的力量。利用一切能利用的条件，制造出没有的东西。从土中找水，从光里取火，利用自然界的资源为人类服务，而能够实现这一切，能够把人类引向现代文明的车轮，就是科学。

我们的主人公并不是一个天才，他知道的东西也并不比别人多。但是，他有比别人更强的好奇心。对于自然界所有的现象，他总会在心里画个问号，问个为什么。

当平凡的知识和不平凡的好奇心结合起来的时候，无人岛的自然环境就成了一个巨大的实验室。他的每一个行动，全都成了一种实验，成了科学。

我们应该向他学习，学习运用同样的知识获得不同结果的好奇心。请大家开动脑筋，想一想每天升起落下的太阳、每天喝的水和每天要用的火，都教给了我们什么，人类如何改变了自然，自然又如何改变了人类。书中主人公所走的路就是人类几万年来所走过的文明之路的缩影。这也正是我们把无人岛作为本书背景的原因。

从表面上看，科学和无人岛之间没有什么关联，但是，如果换个角度，无人岛其实是一个能带给我们无穷快乐和领悟的神奇之地。在无人岛上，虽然没有任何为人类准备好的东西，但实际上，可以被人类利用的财富却是数不胜数。现在，就让我们追随着鲁滨逊的足迹，开始一段精彩的无人岛之旅。

1999 年夏

于首尔

目录

Stage 1 制造荒岛上的纯净水

Stage 2　绝境中的地形大探险

Stage 3　重演“新石器时代”文明

Stage 4　获得战胜忧郁的力量

Stage 5　出海寻找新希望

Stage1 成为无人岛初级居民
制造荒岛上的
纯净水
意外流落无人岛，
精彩的海外旅行就此泡汤，
无论怎样怨天尤人都没有用，
鲁滨逊必须打起精神，
解决生存问题……

陌生小岛上的早晨

感觉到清凉的海水打在脸上，鲁滨逊这才睁开了双眼。他的手指已经动弹不得，整个身体就像被盐腌过的辣椒一样蜷成一团。这并不奇怪，海水本来就是有点咸的盐水。漆黑的夜晚，恐怖的声音，还有骇人的惨叫……鲁滨逊的意识刚一清楚，那可怕的瞬间就再次浮现在他的脑海中。

好渴啊，嗓子眼儿就像在冒烟一样，嘴里也像塞满了沙子似的又痒又刺痛。感觉身体里的最后一滴水也被蒸发掉了，灼热的阳光照在身上如同针扎一般，似乎马上就要虚脱。直到这时，鲁滨逊才弄明白，自己被海浪打到了一个陌生的小岛上。

“那么多的乘客，难道只有我一个人活了下来吗？”

鲁滨逊躺在地上，抬起头向四周望了望。可是，只有海浪一下一下有节奏地拍打着海岸。除此以外，一个人影也看不见。不远处的沙滩上，有个四方的空罐头筒，在阳光的照射下闪着亮光。这大概就是巨大的飞机在海上留下的唯一痕迹了。

“水……我必须去找水。”

哦呃！
遗言：
一个月没
有找到水——
死去。
骷髅字
那边也没
有水吗？

呃——他咬着牙，慢慢地从沙滩上站起来。这里到底是哪儿呀？不过，眼下最要紧的不是怎样离开这里，对鲁滨逊来说，此刻最重要的东西是水。虽然喝了一肚子海水，可是早就随着汗水蒸发掉了，现在他疲惫得连眼睛都有点不聚焦了。在脱水症状更严重之前，无论如何也要找到能喝的水。

鲁滨逊解开腰包，先检查了一下自己的全部财产。照相机、瑞士军刀、打火机、雨伞，妈妈执意要装的三四个塑料袋——说晕车的时候可以用，还有带链子的眼镜、手表、衬衫、内衣、皮带、鞋子、钱包和一点钱……虽然背包丢了很可惜，不过，还能保存下这些东西，也算是不幸中的万幸了。

鲁滨逊感觉到有一些热热的东西顺着脸颊流到了嘴里，味道咸咸的，不知道是汗水还是眼泪。他迈着蹒跚的脚步，离开了海边。他要去找水，找一点能够解渴的淡水。

你知道吗？

出汗是人体的一种防御手段，它可以降低由于酷热或者运动而升高的体温。如果大脑温度达到36.9℃，分布在全身的200万～300万个汗腺就会流出汗来。汗蒸发的时候消耗热能，会降低身体的温度。如果把身体比喻成一部机器的话，那么，汗就是防止机器过热的冷却剂。

缺水时防止水分流失的“行动守则”

- 不因为不必要的活动流汗。要告诫自己，每流一滴汗，生存时间就会减少一分钟。
- 不直接被阳光照射。在无人岛上进行日光浴无异于自杀。
- 尽可能少吃东西。因为食物消化时需要消耗大量的水分。（在无人岛上，减肥可不是为了美容，而是生存策略。）
- 闭上嘴用鼻子呼吸。只有这样，流失的水分才最少。（晚上张着嘴睡觉的人会因此缩短生存时间，请事先练习。）
- 气温高的时候不要躺在地上。因为地面温度最多可以比气温高15℃。
- 不要把皮肤暴露在阳光下或者风中，即使再热也要穿好衣服。这也是为了防止水分蒸发。
- 渴的时候，不要吝惜水，一定要喝到解渴为止。只有这样，才能最低限度维持身体机能。
- 白天待在树荫下，夜间或者清晨外出活动。（这对平时爱走夜路的人很有利。）

找水

为了找水，鲁滨逊调动起了自己所有的生活常识，比如“人往高处走，水往低处流”“要想在山里找到水，就必须先找到山谷”等等。可是他费了很大劲找到山谷后，却发现那里也是一片干涸，全是沙子和小石子，跟普通的沙地没什么两样。

“看样子是找错了路。”一头雾水的鲁滨逊自言自语地感叹道，“这要是电脑上的冒险游戏该多好，就可以不保存进度，重新再来一次……”

鲁滨逊茫然地站在树林里，看见一队队蚂蚁正在向树上爬，被惊扰了的鸟群扑棱棱地飞向天空，一群群苍蝇和蚊子围着他的脸嗡嗡地叫着。走了这么久，又流了很多汗，脱水症状好像更严重了，嗓子也越来越干，鲁滨逊的意志开始动摇了。

我们的鲁滨逊终于放弃了找水的念头，颓丧地瘫坐在地上，慢慢觉得眼皮发沉。

是谁？这个围着兽皮的原始人是谁？怎么手里还握着长枪？我真的是在无人岛上吗？还是在做梦啊？

“怎么会问这么愚蠢的问题？这当然是梦了。”

“那大叔您是哪位？”

“我？我就是荒岛居民的祖先。”

“啊！您是、是鲁滨逊·克鲁索？”

“唉，你这么笨到底像谁呀？”

“什么？”

“我是说，你只要在看似很干的山谷里挖一挖，就一定能找到水。沙子和小石子都可以很好地吸收和保存雨水，虽然那里表面看起来很干，但其实很容易找到地下水。还有，在长满水草的潮湿的地方挖也会有水。不光这些，蚂蚁爬行的时候，通常都是向着有水的方向爬，如果看见昆虫或者鸟群，就说明附近一定有水。不光是人，动物也不可能只靠面包生存。”

“现在你知道了吧？你这个落难者可真是个大废物。”

“落难者哪有头一回就什么都知道的？”

“我可是第一次就什么都懂。好了，那我走了，你自己再好好找找吧。”

“等等！你再等一下嘛，等等……”鲁滨逊挥动胳膊喊着，忽然惊醒过来，发现原来是个梦。

虽然只得到了这么一点点帮助，不过，至少已经有了找水的重要线索。

一个小时以后，鲁滨逊又陷入了深深的忧虑。

虽然听从老鲁滨逊的忠告，顺利找到了淡水，可全都是一些很脏的水。在石头缝里找到的水坑，里面游动着细小的蚯蚓；沙地的地下水虽然没有什么虫子，但也很可疑；在森林中发现的水里则蠕动着很多小蜗牛。

从森林或者山谷中流过的水里当然会生活着小虫子，但干净水和脏水里生存的物种是不一样的。从小就爱看漫画书甚至看到废寝忘食的鲁滨逊忽然想起，在以前看过的一本科学漫画书里，曾经读到过一种“通过水中生物判断水质”的方法：

☆1级水：喇蛄或者虾类。这种水可以直接饮用。

☆2级水：蚊子的幼虫。这种水必须用沉淀或者过滤等方法进行净化。

☆3级水：螺蛳、蚂蟥、水蜗牛。2级以下的水必须经过化学处理才可以饮用。

☆4级水：豆娘、蛾子或者苍蝇的幼虫。

☆5级水：大虫子、小蚯蚓。

结果，鲁滨逊找到的水都是不能直接饮用的3级水以下的水。鲁滨逊现在真是一筹莫展了。过了一会儿，他好像忽然想到了什么好办法，拍拍大腿站了起来，兴奋地大喊了一声：

“净水机！”

你知道吗？

鲁滨逊·克鲁索是英国作家丹尼尔·笛福（1660～1731年）的长篇小说《鲁滨逊漂流记》中的主人公。他流落到无人岛后，用超出常人的智慧和努力，在岛上栽种粮食、畜养牲畜，生活了28年以后，又平安地返回了家乡。这部作品取材于曾在荒岛上生活过4年的英格兰船员的真实经历。

制造净水机

鲁滨逊想到的主意就是把水净化。所谓净化，就是让混有杂质的液体通过有很多小孔的过滤器，把杂质分离出来的过程。

鲁滨逊找到一棵只剩下树桩的枯树，用瑞士军刀把里面大概挖了挖，做成水桶的样子。他本来准备用小石头、沙子、碎石子来做过滤器，可是，只用这些东西是没法把脏水完全过滤干净的。水里还是混杂着很多不能被碎石和沙子过滤掉的小颗粒。

“要是有些炭就好了……”

因为炭的表面布满了直径只有 1/1000 毫米的小洞，这些小洞让炭具备了“多孔性”特点，从而具有良好的吸附性能，很适合用来过滤水中的杂质。鲁滨逊忽然想起，以前好像看过一本漫画书，讲的是朝鲜时代的故事，其中就提到了过去的人会在井里放炭。

可是，在无人岛上，到哪儿去找炭呢？而且，现在也没时间砍树，点火，自己动手烧炭。正不知道该怎么办的时候，鲁滨逊突然想到了一种可以代替炭的东西，这就是他身上穿的衬衣。

“这么细的小孔应该可以滤掉那些杂质了吧……”

鲁滨逊用塑料袋兜来混杂着很多碎石的水，倒进桶里。等到那些水通过过滤层，从下边的一个小洞流出来，就大功告成了。

他大口大口地喝着干净的水，终于又有了精神，眼前的东西也开始看得清清楚楚了。

“呜哇，好舒服。连老鲁滨逊可能都想不到我这么好的方法。”

自从落难以后，鲁滨逊第一次感觉到放松。

净水过程

必须有水才能生存

对于生物来说，水和氧气是最重要的生存要素。人体中水的含量可占体重的60%～70%，维持生命的所有新陈代谢活动都是通过溶解了各种物质的溶液之间的化学反应来实现的。

一个体重为70kg的成年人，身体中水的含量大约是45升。一个成年人每天摄入的水量大约是2.75升，其中1.5升通过喝水获得,1.25升从饮食中获取,而每天通过小便排出的水有1～2升。

如果不摄入水或者食物，人体通过分解脂肪每天可以为自己提供大约0.25升水。但是,即使什么都不做,只是静静地躺着，每天通过呼吸和汗液排出去的水量最少也有0.4升，总之是桩“亏本的买卖”。

要维持人体的各项机能，一个人每天最低的水摄取量是1升。当气温达到30℃时，就需要2.5升，35℃时则需要5升。当水分不够时,依靠荷尔蒙分泌进行的唾液腺的活动就会减少,嘴里就会感觉干涩，人体就会出现脱水症状。

综上所述,我们得出一个结论:只有食物,人是不能生存的,还必须有水喝才行。

怀念普罗米修斯

天黑了，气温也骤然下降了很多。鲁滨逊很想点个火堆，可是他身上没有任何能取火的工具。虽然有个一次性的打火机，可是早就被海水泡得不能用了。

“要是有火的话，就可以烧开水喝，还可以烤贝壳吃……想个什么办法呢？”

鲁滨逊想到的第一个主意是火石。他先找来一堆比较容易点燃的干草和一些当柴火用的树枝，然后从地上挑了几块看上去很硬的石头。

“以前的人都能用这个把火点着，我肯定更没问题。”

可试了好半天，火就是点不着。不管他怎么使劲敲打石头，除了掉下一点碎末以外，连个火星都没有。他试了几十块石头，还是没有效果。最后，鲁滨逊终于放弃了尝试，开始想别的办法。

第二个主意是钻木取火。以前他经常在漫画和电影里看到，原始人都是用一根结实的小木棍在一截木头上不停地搓，然后就会点着火。

“火石虽然失败了，这次肯定没问题……”

可是想归想，木头上还是连点儿火星也没有，更别提什么烟了。他又搓了一会儿，这回木头上没着火，可手心却火辣辣的，像着了火一样。

搓了好半天，鲁滨逊弄得满头大汗，没见着火苗，却换来了一手的水泡，气得他把木头扔到了一边。鲁滨逊叹了口气，撑起雨伞，走到一片草地上躺下，把身体蜷到了雨伞里。此时，他忽然深刻领会了为人类盗来火种的普罗米修斯的伟大。

向露水学习蒸馏的原理

清晨，鲁滨逊浑身酸痛地从睡梦中醒来。肚子里好像趴了只小狗似的，咕噜咕噜地叫着。

“也没有东西吃，这可怎么办呀……”

鲁滨逊拍拍瘪瘪的肚子，发愁地想。忽然，他看见了浸在水里的塑料袋。

“是啊！水也还是个问题。光进行过滤，不可能将水彻底净化。最好能烧开了再喝……”

就在这时，鲁滨逊忽然觉得塑料雨伞上面湿漉漉的，他立刻瞪圆了眼睛，刚才的狼狈一扫而空。

“水？怎么会有水呢？夜里没有下过雨呀……怎么回事呢？”

鲁滨逊忽然好像忘了身上的疼痛，腾的一下站了起来。

“是露水！”

鲁滨逊认真地思考起收集露水的方法来。在太阳出来之前，清晨的露水就会全部蒸发掉，根本没法收集很多。如果在太阳升起之前跑到森林里去收集露水，消耗的能量一定会超过用过滤得到等量的水，那就太不合算了。

“难道就没有更好的办法吗？能不能不用走很远就能收集到大量的露水……”

过了一会儿，鲁滨逊的眼睛开始像露珠一样放出亮光。

“有了，塑料！”

因为塑料是不吸水的，如果夜里把它平铺在地上，就可以得到同等面积的露水。只要把它铺在中间有点凹陷的地方，四周用石头压住，水珠就会集中到凹下去的地方，就像树叶上的露水一样，不会立刻蒸发掉。这样一来，每天早上至少可以收集到一两杯水。

想到这里，鲁滨逊立刻动起手来。为了让平平的地面向中间凹陷，他用刀挖了几下，然后打开塑料雨伞，搁在上面。

“哈哈哈，从此以后，无人岛上就可以喝到无污染的纯净水啦……哈哈！”

心满意足的鲁滨逊这时才突然意识到，他的肚子竟然一点都不饿了。

你知道吗？

露水的产生与夜里的冷空气有关，夜里气温下降，空气中的水蒸气遇到冷空气后凝结，就形成了小水珠附在物体的表面上。水蒸气从气体变成液体的温度叫“露点”。如果气温继续下降，水蒸气就会直接在物体表面上结晶，形成霜。

把沙地变成绿洲

早上，鲁滨逊蜷缩在一片树荫下，又陷入了思考。塑料雨伞里的水虽然可以解渴，但那一点点肯定是不够喝的。就算没有多到可以洗澡，至少也得能补充每天流失的汗水呀。

刚一大清早，阳光就已经很强烈了。鲁滨逊的脸上流了好多汗，连眼镜片上都雾蒙蒙的了。他一边嘟囔着一边摘下眼镜。忽然，他脑子里有什么东西一闪而过，如电光石火一般。鲁滨逊愣了愣，再次朝眼镜上的雾气望了望，想重温一下刚才的感觉。过了一会儿，他忽然大叫一声：

“有了！”

鲁滨逊脑中闪过的是“蒸发”这两个字。只要有炽热的阳光，不管是哪儿的水分都会蒸发，那么，空气中的水蒸气也是一样。所以，只要收集到水蒸气，就可以得到水了。

现在的问题就在于如何收集水蒸气。水蒸气用手抓也抓不着，该怎么收集呢？鲁滨逊看着眼镜片上的蒸气，忽然想到了一个办法，那就是“挖坑”。

“在这么高的温度下，沙子里的水分也会蒸发。如果挖一个坑，再用塑料布密封住，那么从沙土里蒸发出的水蒸气就无法散发出去，坑里的水蒸气会一直处于饱和状态。水蒸气碰到塑料就会再次被液化成水，然后我不就有水喝了吗？呜哇！竟然能想出这么聪明的方法，我简直就是天才呀，天才！”

于是，鲁滨逊打起精神，开始挖沙坑。坑挖好以后，他拿过要盖在上面的塑料布，在中间放了块小石头。因为只有这样，凝

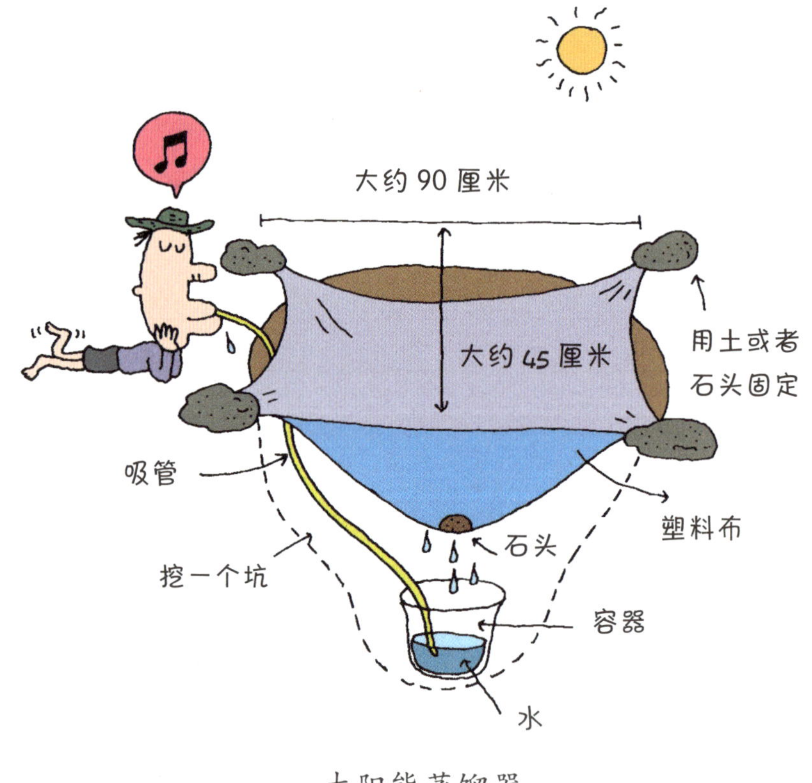

太阳能蒸馏器

结在塑料布上的水珠才能流到一个地方。可是……

“嘿，你这个笨蛋！怎么这么傻呀？”

突然，鲁滨逊使劲用拳头打了一下自己的脑袋。因为他忽然想起忘了在坑里放一个盛水的容器。

如果不在被石头压凹下去的塑料的正下方放一个容器，收集到的水不就全都流回土里去了吗？让从土里蒸发出来的水分再次流回土里，这种赔本的生意可不是落难的鲁滨逊要做的。

鲁滨逊用瑞士军刀砍了一截木头，做成杯子的形状，放到坑中央，然后再次盖上塑料布，鲁滨逊一边盖一边用最小的声音嘀咕着，好像怕谁听见似的：

“唉，智者千虑，必有一失，天才也有疏忽的时候，否则还能算是人吗？”

你知道吗？

蒸发是一种汽化现象。液体沸腾需要一定的温度和压力，而蒸发在任何温度下都会发生。除了地面和水面，动植物体表也会发生蒸发现象。地球上每年蒸发的水量足有57.7万立方千米（1立方千米的水重10亿吨），其中80%以上来自海水。温度越高，湿度越低，风越大，蒸发就越剧烈。另外，面积越大，蒸发速度就越快。洗过的衣服可以晾干就是因为蒸发现象。

饥渴中产生的灵感

一喜一悲，到了晚上，鲁滨逊又发起愁来。用太阳能蒸馏器获得的水虽然比收集的露水多，可还是不足以解渴。

而且，他已经整整两天没吃过什么东西，早就饿得前心贴后背了。可是，在解决饮水问题之前，根本就没法去找吃的。如果在这火辣辣的太阳底下到处跑，恐怕在饿死之前，早就先渴死了。

哗——哗——哗——海边的浪涛声冲击着鲁滨逊的耳膜。要是能直接把海水变成淡水，该多好呀……有首诗是怎么写的来着："海浪声会摧毁我的意志，拍击、粉碎、毁灭……"

"海水！简直就是在说废话！"要想把海水变成淡水，除了把它烧沸、蒸馏，没有别的办法。可是，要想这么做的话，就必须有火。火是唯一能同时解决饮水和食物问题的法宝。鲁滨逊抬起手，看了看掌心的水泡，无奈地长叹了一声：

"鲁滨逊！你可真是个废物呀。"

水——火！水——火！这两个之中到底哪个更重要？鲁滨逊抓着脑袋使劲想着。我今年 20 岁，到了无人岛上，竟然连水和火都分不清，唉……

鲁滨逊摘下眼镜。他想，早上一看到镜片就想出了太阳能蒸馏器，这一次或许还会有什么启发。

“眼镜呀眼镜，你快告诉我，要怎么做才能点着火呢？你要是 1 分钟之内不回答我，我就把你摔成好几瓣儿……”

59 秒过去了，鲁滨逊突然大叫一声，把眼镜送到嘴边，激动地亲吻起来。然后，他满脸笑容地把眼镜重新戴回到鼻梁上。难道眼镜真的跟他说了什么？这当然是不可能的。那么，鲁滨逊盯着镜片看的时候，究竟想到了什么呢？

“放大镜！是的，放大镜。哈哈哈哈，这回我终于有办法啦！”

没错，只要利用放大镜，很容易就可以点着火。只可惜，鲁滨逊的眼镜并不是放大镜。他戴的是一副没有度数的平光镜，只是为了显示一下新时代的大学生是多么有学问而已，换句话说，那仅仅是两片玻璃。这可怎么办呢？

“呵呵，真是笨，怎么没早点想到这个主意。”

鲁滨逊一边兴奋地傻笑，一边打开腰包，拿出一架自动照相机，这是妈妈送给他的入学礼物。照相机的镜头！原来鲁滨逊盯着眼镜片的时候，想到的就是这个东西。

终于找到取火方法的鲁滨逊，怀着难得的愉快心情入睡了。

“明天，太阳升起来的时候，我鲁滨逊，将成为 21 世纪伟大的普罗米修斯。有了火以后，我就可以在海边制造淡水，还可以吃到美味的贝肉……”突然，他睁开双眼，担心地望了望天空，自言自语地说：“明天不会下雨吧？”

用镜头和胶卷取火

还好，第二天依旧阳光灿烂，照得海滩上的沙子也在闪光。鲁滨逊先堆起一堆干草和树枝，然后，小心翼翼地从相机里取出镜头，生怕打破了。为了这次旅行，他还特意换了一些外币放在钱包里，可到了无人岛，钱已经成了一堆废纸，现在正好派上用场，不过心里还是有点舍不得。

鲁滨逊的视线忽然落在照相机的里面，可怜的照相机，拿掉了镜头后好像被拿掉了心脏一样，只剩下了在机场买的胶卷。

“对了，胶卷是黑色的，效果应该比钱更好。这些外币是全国人民辛苦工作换来的，即使在无人岛上也不能随便烧。”

鲁滨逊被自己的爱国心深深地打动了，他把钱放回钱包，然后拿起镜头和胶卷，怀着难以言表的激动之情，站到了烈日底下。

“呵呵呵，马上我就要亲眼见证一个历史性的时刻了。”

随着一阵噼啪声，火着了。

鲁滨逊激动地注视着跃动的火苗。从生下来到现在，不知道见过多少火了，香烟的火、火柴的火、炉子里的火、火堆的火，还有房子失火时的火……可是，颜色像今天这么漂亮的火苗，他还是第一次见到。

虽然用镜头可以再次把火点着，但鲁滨逊还是决定不灭掉这个火种。因为他觉得，燃烧的火苗就像是自己的希望——能够离开无人岛、回到日夜思念的家人身边的希望。

“这个火种就好像我的希望，绝对不会熄灭……”

鲁滨逊捡了几根早就准备好的柴火扔到火堆里，忽然觉得一阵困意袭来。昨晚因为激动一直都没有睡踏实，现在，看着熊熊燃烧的火堆，鲁滨逊也忘了饥饿，疲倦地一头倒在地上，跌入了沉沉的梦乡。

你知道吗？

黑色的胶卷为什么容易燃烧呢？光中包含了好几种颜色，接触到物体以后，某些颜色会被反射，而某些颜色则会被吸收。红玫瑰看上去是红色的，就是因为只反射了红色，其余颜色则被吸收了。黑色的物体会将光全部吸收，没有反射光进入我们的眼睛，所以看上去是黑色的。吸光性越好，吸收强烈的阳光后就越容易燃烧。同样的道理，深蓝色的复写纸也比较容易燃烧。

再次出现的老鲁滨逊

“嘻嘻，滨逊！受苦了吧？”

老鲁滨逊带着一脸可憎的笑容走了过来，腰上还别着两只像是被捕兽器套住的野兔。

“脸好像长胖了嘛，看来一个人过得还不错呀……”

鲁滨逊恨恨地盯着他。

“你怎么又来了？”

“这叫什么话，我是来给你这个榆木脑袋提个醒的。”

“你说我是榆木脑袋？你来看，看看我的净水机、太阳能蒸馏器，我还用镜头点着了火……”

“这有什么！这么简单的事情傻子也会干。”

老鲁滨逊一副很不屑的神情，打断了鲁滨逊的话。

“你能想到镜头，怎么就没想到塑料布？”

“塑料布和镜头有什么关系？”

“所以说你笨嘛……好好听着。在无人岛上，没有工具，就要创造工具。用透明塑料布盛上水，就可以当成简易镜头使用，你连这个都不知道吗？不管是塑料袋还是塑料雨伞，只要有一样，水和火就都不是问题。怎么样，就你这样，也敢说自己是无人岛居民吗？”

“……”

“好了，你自己保重吧，我走了。”

“等一下！”

“又怎么了？已经到吃点心的时间了。”

“你为什么不早点告诉我，怎么现在才说呢？”

“这样比较有趣嘛。”

“……”

老鲁滨逊腰里别着兔子，慢悠悠地消失在雾气中。鲁滨逊望着他的背影，意味深长地向他大声告别：

“See you later！！（再见！！）”

你知道吗？

除了用塑料袋灌上水，还可以在圆形表盖里放上水来聚焦阳光。如果是冬天的话，把冰做成凸透镜的样子，也可以用来取火。

塑料袋除了当水镜用，还有很多其他用途。找不到煮水的容器时，可以把水倒在塑料袋里煮沸。在塑料袋里放上水，火苗的热会传递到水上，这时无论怎么加热，在水烧干之前塑料是不会被点燃的。

亚里士多德的智慧在无人岛上复活

刚刚睡醒的鲁滨逊迈步向海边走去。

他拿起胡乱扔在沙滩上的空桶，灌了大约 2/3 桶的海水。海水蒸馏成功以后，茫茫大海就将成为他的巨型水库。

为了制造获取蒸馏水的设备，鲁滨逊可着实动了一番脑筋。原理虽然非常简单，可并不只是把海水煮沸就万事大吉了。还需要再次把水蒸气变成水，而且必须有一个能把这些水收集起来的工具。

鲁滨逊先砍了一根竹子，做了一个长长的竹筒。他把竹筒放到盛着海水的大桶中间，调整好大桶和竹筒的高度以后，又用塑料布把大桶的口蒙住，然后在塑料布上面倒了一些凉水。

准备工作完成!

鲁滨逊脸上交织着期待与担忧，他挖走大桶下边的土，然后点起了火。

海水开始沸腾了。由于水蒸气的缘故，塑料布变得雾蒙蒙的。过了一会儿，塑料布里边开始有水珠凝结，这些水珠凝聚到一定程度后，就会掉进下边的竹筒里。这是因为，热的水蒸气被塑料布外面的凉水冷却后发生了液化。鲁滨逊又一次取得了成功。

鲁滨逊把装满水的竹筒腾空，又往桶里加入新的海水进行蒸馏，这样反复做了几次。现在别的事情不说，至少再也不用担心饮水的问题了。

喝着清澈的去掉了盐分的海水，鲁滨逊满意地想：小时候去

海水蒸馏法

澡堂时就知道，水蒸气接触到冷的天花板就会变成水珠。看来，我真是天生的神童啊。

鲁滨逊闭上眼睛，回忆着童年时代的情景。准确地说，是回忆澡堂里的情景。

鲁滨逊睁开眼睛，无可奈何地叹了口气：

“唉！我虽然脑子好，可记忆力真是差了些。”

你知道吗？

所谓蒸馏，就是把液体混合物加热到沸点以后，再将蒸发出来的物质冷却，变成液态。在这个过程中，液体混合物里的各种成分会被分离出来。之所以会出现这种现象，是因为每种物质的沸点都不一样，最先蒸发的就是沸点最低的物质。

最早发明海水蒸馏法的人是伟大的古希腊哲学家亚里士多德（公元前384～公元前322年）。他在公元前4世纪就发现，把盐水煮沸以后，再把水蒸气液化，就可以得到纯净的淡水。

如果把海水里的盐全部收集起来，会有多少呢？海洋的面积大约占地球表面积（大约5.1亿平方千米）的70%。海水的总体积是13.69亿立方千米，是地球体积的1/790。如果海水含盐量是3.5%的话，那大约就是4790万立方千米，这个数量可以把地球的所有陆地加高150多米。

失去水的身体里连灵魂也待不住

在流了很多汗或者长时间没有喝水的情况下，如果不及时补充水分，身体的各项机能就会严重下降。水分损失和运动能力减弱的比例关系大约是1:10。对于一个体重70千克的人，如果失水量达到体重的2%，也就是1400毫升时，运动能力就会下降20%，如果失水量达到4%，运动能力就会下降40%，几乎仅为平时的一半。

汗里包含钾、镁等电离子。电离子的作用是调节肌肉和神经的运动。如果电离子损失过多的话，肌肉就会出现功能障碍，发生萎缩或者痉挛。足球运动员马拉多纳的腿经常抽筋，就是这个原因。

严重脱水时，为了遏止水分继续流失，身体就会减少汗水的分泌量，由此会导致体温调节功能的麻痹，从而让体温急剧上升。这样，除了会引发身体功能障碍，还会导致失眠、幻觉等精神障碍。体温如果上升到40℃～41℃，人就会失去意识，这时，如果再不补水，人就会有生命危险。

北极星！原来这里是北半球

贝肉的味道还是很不错的。虽然要是再配上杯烧酒，来点音乐就更好了，不过，与过去三天的饥渴难耐比起来，今天的晚餐简直就是满汉全席了。

“大海是万物之源，这话真是没错。”

这顿由贝肉和海洋蒸馏水组成的晚餐，是鲁滨逊在无人岛上的第一顿饭。吃饱喝足以后，鲁滨逊伸了个大大的懒腰，躺在了火堆旁边。

夜空中，无数的星星眨着亮晶晶的眼睛，在首尔出生长大的鲁滨逊从来没有见过这么纯净美丽的星空。他暂时忘却了自己的处境，一脸迷醉地望着夜空，开始找起星座来。这一切让他想起了小时候野营时的情景。

“那是北斗七星，那是仙后座，还有那个……”

如果找到了北斗七星和仙后座，就一定可以找到北极星。因为北极星就在这两个星座的中间。

由于北极星差不多正对着地球的自转轴，所以人们常常依靠它来确定方向。鲁滨逊小时候就见过这颗星星，现在再次看到，非常高兴，他轻声自语道：

“那边就是北边……原来这里是北半球啊，所以我才能看到北极星。”

“如果一直朝着那颗星星走，就可以到达地球的顶端，也就是北极了。那里虽然很冷，可还有人生活。看来，与一个人都没有的无人岛相比，还是北极好一些。说不定还可以和因纽特人交

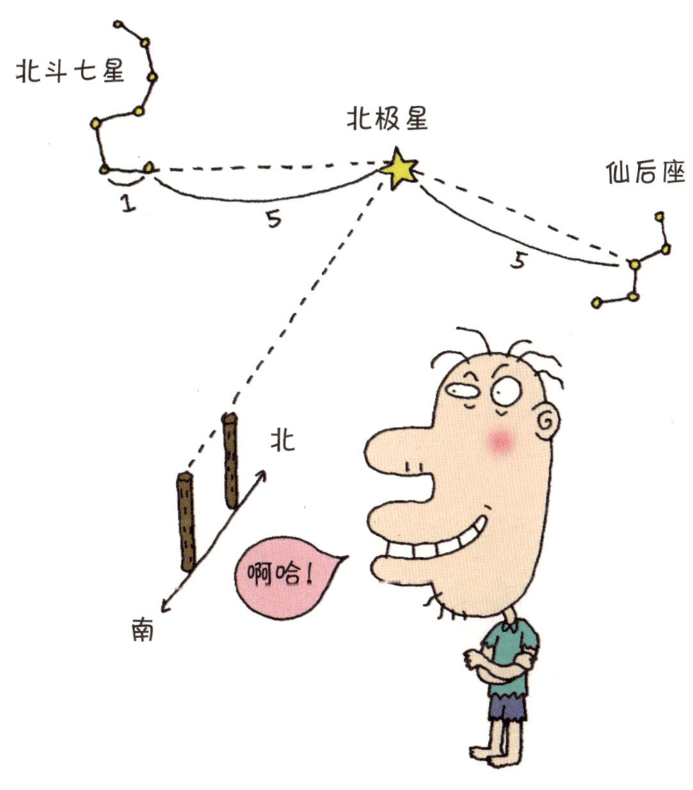

北极星和星座

朋友，每天和海豹一起玩……”

鲁滨逊注视着夜空，漫无边际地想着。可是，他忘了一件很重要的事。北极星不仅代表这里是北半球，还可以告诉他现在所处的纬度。

理由很简单：如果鲁滨逊是在北极，北极星就会在他头顶正上方。如果是在赤道附近，北极星几乎就在地平线上。赤道的纬度是0°，北极的纬度是90°，而北极星和地面的角度就是鲁滨逊目前所在位置的纬度。

当然，这里会有一些误差。因为地球是一个椭圆形球体，所以，如果从北极星所在的点画一条和地面垂直的线，这条线并不会通过地球的中心。在地球运转过程中，这条线和经过地球中心的线（也就是自转轴）之间的最大误差是11.5°。换句话说，如果北极星准确位于与地面成90°的点上，就表示那里并不是北极。

尽管如此，粗略地确定一下当前的位置还是不成问题的。就好像说，不管是在济州岛，还是在牛岛，反正都是在韩国一样。

可惜，鲁滨逊只顾欣赏夜空的美景，却忽略了这个可以判断位置的重要线索。

你知道吗？

在宇宙中，可能有多达2万亿个和银河系一样的星系，而银河系中又有一千亿颗恒星，把它们乘起来的话，星星的数量足足有10^{23}颗。在这么多的星星中，在地球上能用肉眼看到的只有6000颗左右。但是，因为我们看不见地平线下边的星星，所以实际能看到的只有3000颗左右。

夜空中的灯塔——北极星

几乎所有天体的位置都会随着时间发生变化，但北极星却永远待在一个地方。因为北极星位于地球自转轴的北延长线上。它和地球的距离大约是8万光年。如果能在夜空中看到北极星，就表示这个地方是北半球。

我们常常听到这样的说法，北极星是夜空中最亮的一颗星，但事实并不是这样。夜空中其实还有无数比北极星还亮的星星。

两千年前，古希腊天文学家喜帕恰斯根据星星的亮度，把它们分成了6个等级。最亮的星星是1等星，最暗的星星是6等星。相邻等级之间的亮度差是2.5倍左右，因此6等星的亮度大约只有1等星的1/100。比1等星还亮的就是0等星，如果比0等星还亮，就用负号（-）表示。

根据这个标准，北极星属于2.1等星。比0等星还亮的星星有4颗，1等星以上的星星有15颗，2等星以上的星星则有48颗。从北半球可以看到的星星中，最亮的是大犬星座α星——大狼星。

如果假设所有的星星都在距地球同样的距离上，确定一个“绝对等级”的话，情况就会发生变化。从地球上看，太阳（距地球大约1.5亿千米）是-26.74等星，北极星是2.1等星。但如果按照“绝对等级”来看，太阳是4.8等星，北极星则是

-3.64 等星。也就是说，如果只拿星星本身的亮度来进行比较，北极星比太阳足足亮 2000 倍。

北极星的位置并不是永远不变。就像陀螺一样，地球的自转轴也在不停地转圈，这就是“岁差”。自转轴完整地转一圈大约需要 25800 年。在此期间，自转轴会有微小的移动，因此，北极星的位置也会略有变化。

现在，北极星已经偏离了地球自转轴大约 50′，随着时间的推移，有一天我们必须找其他星星来代替北极星。根据天文学家们的计算，大约 6000 年后摩羯座的 α 星，12000 年后天琴座的 α 星（织女星）将会成为北极星。所以说，北极星并不是永远的北极星。

在南半球是看不到北极星的，因为地球不是透明的。南半球的人们是以南十字星为基准确定方位的。

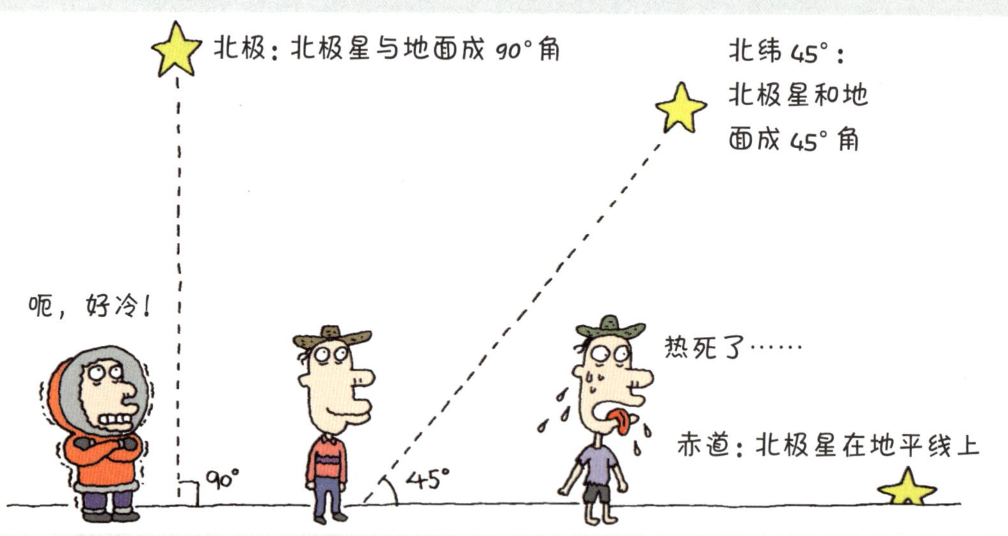

不同纬度上北极星的位置

绝境中的地形大探险

有个好住处就能万事亨通，
鲁滨逊牢记妈妈教诲，
开始寻找风水宝地，
他用西部开拓者一样的精神，
展开了无人岛地形大探查……

SOS！发出求救信号

这是在无人岛上度过的第三个晚上。夜已经很深了，可鲁滨逊却一直无法入睡。水和火的问题虽然解决了，可他又陷入了下一个烦恼中。

“怎么能找些别的东西来吃呢？要是每天只吃贝肉，早晚我的脸也会长得跟贝壳似的。究竟还要在这里待多久呢？我可不想像那个讨厌的老鲁滨逊一样，把大好青春都耽误在无人岛上，到底怎样才能离开这儿呢？”

首先必须发出求救信号。可是，在没有任何通讯手段的无人岛上，该怎么发求救信号呢？他最先想到的就是火。“如果在小岛上到处都点上火堆，那么，从附近经过的船或者飞机，不就可以发现我了吗？”

打铁就要趁热。想到这儿，鲁滨逊立刻跑到海边，点起一个新的火堆，并顺手添上一大把干柴。他在心里默默地祈祷着，但愿有人能发现这里的火苗。

“晚上，哪怕是一个小烟头的火苗都看得见，更别说这么大一个火堆了，肯定会有人看见的。”

可是，他忽然又泄气了。都在这里待了三天了，不管是船还是飞机，压根儿连个影子都没有。

“不管怎么样，明天我要先在岛上绕一圈。说不定岛那边会有经过的船只呢。”

第二种方法就是发出求救信号“SOS”。可以在海边的沙滩上写一个大大的“SOS”，这样，如果有飞机飞过，即使看不见人，也会看见字。

“世界上应该没有不认字的文盲驾驶员吧。”

第二天天一亮，鲁滨逊就爬了起来，向海边跑去。他在海滩上写下了一个大大的“SOS”。“SOS”是国际通用的求救信号。写完以后，鲁滨逊觉得求救行动好像已经成功了一半，心里顿时轻松了许多。

为了防止字被潮水冲掉，他还特意把字写在了离大海尽可能远的地方。

可是，鲁滨逊忽然又担心起来。写在沙滩上的字，不管写得多深，一下雨就会被冲掉。虽然来到小岛以后还没有下过雨，可谁知道以后会怎么样呢。而且岛上天气阴沉沉的，过不了多久肯定会下大雨的。

“不行，还是得想想别的办法。”

鲁滨逊想到的方法就是用小石子。如果用小石子拼出字来，即使下雨也不怕了。

“印加文明的遗址上不就有很多石头，从空中看，都是一些精美的图画。”

在海边收集了好多小石头以后，鲁滨逊忽然产生了一种奇妙的感觉，在新世纪到来的时候，自己却在重新经历最初的人类文明。

你知道吗？

SOS之所以成为求救信号的代名词，是因为这是莫尔斯电码中最容易输入的三个字母。1837年，塞缪尔·莫尔斯发明了莫尔斯电码，就是用简单的点和线组合来表示不同字母，构成词语或者句子。把SOS写成莫尔斯电码就是“…———…”。

LET'S GO！无人岛探险

用小石子写好“SOS”以后，鲁滨逊又在海边捡了好多贝类，作为探险途中的干粮。不知道路上能不能找到野果什么的，如果找不着的话，这些贝肉就是他唯一的食物了。

他先饱餐了一顿贝肉，把剩下的放到塑料袋里，然后把其他的东西全都塞到腰间的小包里。如果找到别的更好的地方，也许就不会回到这儿来了。说不定这一去还能发现无人岛上的闹市区呢，有新鲜干净的河水，树上结满好吃的果子，如果还能看到往来的船只，那可就是锦上添花了。

“我应该先爬到一个高的地方，看看小岛的全貌，然后再找一个好地方住下。妈妈不是常说，有个好住处就能万事亨通嘛，早知道有今天，应该先学习一下看风水。”

就要出发了，看着身边与他一起度过了几天的海滩和树荫，鲁滨逊有点依依不舍。

“到底是住了好几天的窝呀……”

点火的痕迹，灰烬上高高堆起的空贝壳，还有好像印加文明微缩后的那些小石子，望着这一切，鲁滨逊的嘴角露出了微笑。

“呵呵呵，要是有一天有人来到这里，肯定会到处宣布自己发现了原始人的住处、贝丘，还有文字。哈哈。”

鲁滨逊在腰两侧挂上装满淡水的塑料袋，手里举着一根燃烧的木柴，就这样踏上了无人岛探险之旅。

之所以带着火把，是因为他早就决定绝不熄灭这个火种。而且，万一路上碰到什么野兽，还可以用它抵挡一阵，运气好的话，如果头顶上正好有飞机经过，这也可以成为一个移动的求救信号。

Let’s Go！此时，就要踏上征途的鲁滨逊，心中还抱着一个侥幸的想法：

“说不定，这里根本就不是什么无人岛。即使没有居民，至少也有些派来守岛的军人吧？刚果军团？乌干达军团？兴许还有唐朝的军队呢！”

你知道吗？

贝丘是古代人类居住遗址的一种，是生活在水边的人类用废弃的贝壳堆起来形成的一种遗迹。因为贝壳中的石灰质有助于保存陶器、石器、动物的骨头等，所以贝丘是考古学中珍贵的研究资料。

鲁滨逊成了迷途的羔羊

岛上的山比看上去更加挺拔险峻，而且全部都被茂密的树林覆盖着。因为根本没有人来过，所以连路也没有。为了征服这样一座山，鲁滨逊已经艰苦奋战了好几个钟头。

对于登山经验只限于汉拿山和仁王山的鲁滨逊来说，可真是太难为他了。

最后，鲁滨逊终于到达了山顶。眼前的障碍全部消失，视野一下开阔起来。

从山顶上看下去，无人岛是一个被茫茫大海包围的椭圆形小岛。映入眼帘的除了大海还是大海，连个陆地的影子都望不见。鲁滨逊终于证实了一个他最不想看到的事实：

“这么说来，如果没有人发现我的话，我是没办法离开这里……”

不过，现在可不是泄气的时候。为了尽早被人发现，得赶快先找一个合适的住处。一定要挑一个最显眼的位置，还要能避雨，能防止野兽的袭击，而且能很容易地找到食物和水。鲁滨逊瞪大眼睛，开始在岛上仔细搜索起来。

忽然，鲁滨逊的眼睛一亮。沿着远处的海岸线，是一片辽阔的沙滩。在沙滩的正后方，有一个矮矮的小山坡，山坡后面是茂密的森林。

鲁滨逊点了点头，满意地自语道：

“沙滩旁边肯定有小河或者溪流，而且有了森林就不用发愁没有木柴，还能从树上摘果子，从地里挖野菜。另外，山坡上可以很方便地观察是否有船只经过。万一遇到洪水或者海啸，高点的地方总比平地好一些。OK，就是那儿了。”

不知不觉，太阳已经开始往下落了。鲁滨逊急忙往山下跑。走到半山腰时，太阳已经完全落到了海平面下面，刚才看中的那个地方此时笼罩在一片灿烂的晚霞中。

“啊，多美的景色呀！我真是挑了个好地方……”

这时，他耳边忽然响起了妈妈的声音：

“你知道以前你爸爸的工作为什么老是不顺利吗？都是因为没选好住的地方。你瞧，我们搬家以后，所有的问题都解决了。以前的老人并不是没有事情做才去找风水宝地的……滨逊！干吗撇嘴？想挨打吗？”

“真糟糕！到底该往哪边走呀？”

鲁滨逊不住地嘀咕着。他迷了路，已经在这里来回转悠三四个小时了。从山顶看的时候，觉得两三个小时就能到达那个小山坡，现在却怎么也找不到了。

他本来是估计好方向后才出发的，可一进入茫茫的森林，就再也分不出哪儿是哪儿了。

天已经完全黑下来了，周围的东西一样也看不清楚。虽然拿着火把，可那点儿光亮也就能照出三四步远。鲁滨逊精神高度紧张，每迈一步都非常小心。

他想，万一这时候扑上来个什么野兽，那可就惨了。这样，他的行进速度就更慢了。

“这个落后的无人岛，怎么连个路灯、指示牌什么的也没有啊……”

终于，鲁滨逊停住了脚步。

在这种连方向都搞不清楚的状态下，再怎么前进都是白搭。他想，说不定此时自己正在往相反的方向走呢，反正也走不出去，干脆等到天亮以后再说吧。

可是，他转念一想，即使天亮以后，找到方向的希望也很渺茫。在山顶上看见的山坡和沙滩在森林里根本就看不见。可是等先爬到山顶上确定好方向，接下来再找的时候，天又该黑了。一天之中，山的高度不会变，上下的时间还是会和今天一样。

要是有个能伐木的工具，就可以通过看年轮知道方向了。因为年轮间隔宽的一边就是南。

可是，鲁滨逊身上只有一把瑞士军刀，要用它来伐木，简直就是天方夜谭。这种刀能削削铅笔就不错了。

“唉，吐唾沫有什么用，又没法找着方向……”

忽然，鲁滨逊的眼睛又亮了起来。他想起了刚才在山腰看日落时的情景。

“太阳落到那边，不就表示那边是西吗？这样的话，等明天早上太阳出来的时候，向太阳升起的相反方向走不就可以了吗？明天一定得早点起来看日出。”

有了主意的鲁滨逊找了一块空地点起了几个小火堆，以防火把周围的树木点着。他在地上铺了一些树叶，把塑料伞撑开，躺到伞底下。平时都是很晚才睡，可明天要早早起来看日出，所以鲁滨逊强迫自己闭上眼睛。

忽然他又冒出一个问题：

“平时要是我老早就起床的话，妈妈总是会说，今天太阳打西边出来了……那明天如果我早早起来的话，太阳是从东边出来，还是从西边出来呢？”

你知道吗？

树是靠它的形成层制造细胞生长的。从春天到夏天，细胞壁会逐渐变薄；从夏天到冬天，细胞壁又会逐渐变厚。季节所产生的颜色差异会以带显示出来，这就是年轮。亮带和暗带分别是春夏和秋冬的痕迹，所以只要数出其中一种的圈数，就可以知道这棵树的年纪。年轮间隔宽的一边是南，这是因为受阳光照射越多的一面生长得越快，亮带就越厚。

山的高度是用海拔高度来表示的。海拔高度就是以海洋的平均水平面为基准测量的高度。韩国仁荷大学的主楼前，有一个表示海拔0米的基准点。山的海拔高度一般会比从山脚到山顶的垂直高度高。仁王山位于韩国首都首尔的近郊，海拔338米。汉拿山位于韩国济州岛，主峰海拔1950米。

用木棍辨别东南西北

太阳升起来了。鲁滨逊没有听妈妈的话，坚信太阳升起的方向就是东边。于是，他朝着相反的方向出发了。

“就算再远，天黑之前也一定能到达西边的海岸……”

可是，没走出多远，鲁滨逊就意识到，这是一种多么不可靠的方法。要是只靠眼睛掌握方向，就算沿着修好的大路都未必能到，更别说是在丛林密布、根本没有路的山上，找到目的地几乎是不可能的。

从一片密林里钻出来以后，鲁滨逊终于又迷路了。

当然，等到太阳落下的时候，就可以知道哪边是西了。可是，如果那样，走不了几步天又该黑了。鲁滨逊虽然一直盯着太阳，但一点用处也没有。因为除了太阳刚升起和刚落下的时候，其他时候根本没法知道它的位置是偏东南，还是偏西南。

“这可麻烦了。现在我可再也爬不动山了……”

鲁滨逊一脸茫然地摇了摇头。他望着地上拖得长长的树影。

“可怜的影子，你是不是也不知道该往哪边走了？”他低声说着，叹了口气。

忽然，他的眼睛里又闪出了光彩。

“影子！可以利用影子呀！哈哈哈哈，我有办法了！”

没错，影子能够准确显示出太阳的移动轨迹。自从流落到无人岛以后，鲁滨逊的脑子已经进行了超高速的升级。

鲁滨逊找了一根直直的小木棍，插在地面上，并且在木棍影子末端到木棍之间画了一条直线。然后，他抬起手腕看着表，每20分钟标记一次影子的长度。影子最开始很长，后来越来越短，然后又开始变长。时间不知不觉已经从上午到了下午。

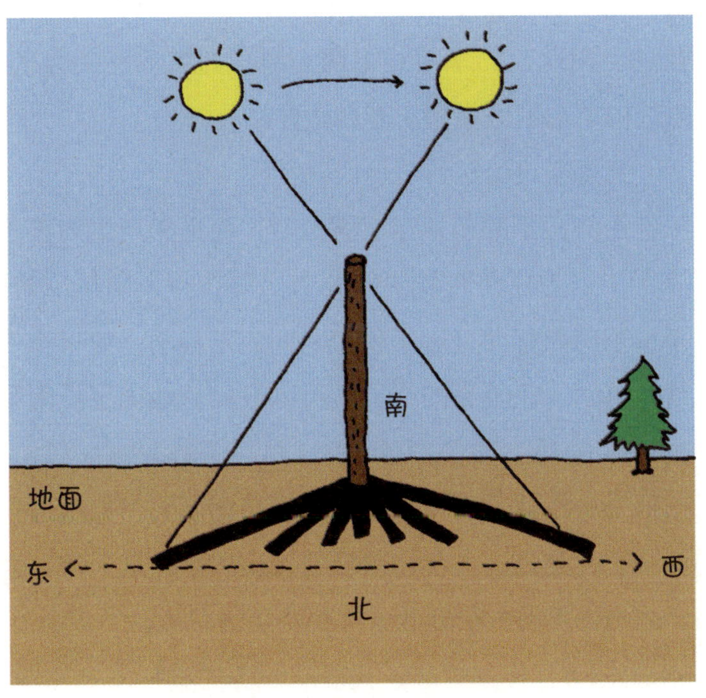

用木棍的影子确定方位

半天过去了。木棍的周围也已经像扇子似的画了许多长长短短的线。

鲁滨逊挑出其中几条看上去长度差不多的线，用手指一边比画，一边进行着比较。过了一会儿，他终于找到了两条长度完全一样的线。

鲁滨逊噌的一下站了起来。

“找到了！噢哦——”

这种方法的原理很简单。

插好一根木棍，上午和下午会出现一次长度一样的影子。影子的长度一致，表示在这两个时间点上，太阳的位置在轨道上是恰好相反的。因此，如果用线把两个影子的末端连接起来的话，那么这条线的两端刚好指向正东和正西。

那么，究竟哪边是东哪边是西呢？

上午产生的影子的末端当然就是西，而下午产生的影子的末端就是东了。因为任何时候阴影都会出现在与太阳相反的方向。太阳如果从东向西移动，影子就会从西向东移动。如果在连接东西的直线上再画一条垂直的线，就可以很容易地确定正南和正北方向了。

用一根小木棍就轻而易举地找到了东南西北，鲁滨逊很为自己的聪明得意，他迈开大步，向着西边出发了。这一次，为了不再迷路，他先把正前方很远的一棵树确定为路标。

“风水宝地呀，你别着急，我鲁滨逊这就来啦。”

他开始加快脚步。

如果我有一块磁铁

去那块风水宝地的路又远又危险。换了几次路标，一直不停地赶路，可那个小山坡连影儿都没见着。终于，天又黑下来了。没办法，鲁滨逊只好先找了个地方住了下来。

他抬头望了望夜空，心想，如果能看见北极星，就可以判断是不是还在往西走。然而昨晚天空中还是繁星点点，今晚却布满了云彩，一颗星星都看不到了。

“怎么办呢，难道就这么等到天亮吗？”

鲁滨逊无意中看了看手表，忽然，他抓住自己的头发，使劲揪了起来。

“你真是个笨蛋，这里又不是韩国。你的表是韩国时间，在无人岛上看有什么用？难道你以为手表是罗盘吗？”

手表要是罗盘该多好呀。可是，这不过是在做白日梦罢了。要是说什么就是什么的话，不如让胳膊变成翅膀，那就可以飞了，或者让大海变成陆地，不就可以走了吗？在无人岛上，重要的不是对工具的幻想，而是制造出工具的能力。制造出来就可以用，制造不出来就没法用。经过过去几天无人岛上的生活，鲁滨逊已经深刻领会了这个道理。

嘀嗒，嘀嗒……手表的指针不急不缓地走着。既不能报告时间，又不能指示方向，要这个东西还有什么用。可是，在无人岛上，没有完全没用的东西。鲁滨逊反复看着手表，忽然来了这么一句，这可是纯粹的荒岛居民的想法：

“难道我就不能把手表指针变成罗盘吗？”

在这个没有星星的晚上，鲁滨逊的两只眼睛却像晨星一样闪亮起来。

“在地理课上好像学过，地球上最大的磁石就是地球本身。罗盘之所以会指向北边，就是因为地球磁场的缘故……”

说得没错。罗盘可以指示方向就是因为地球的磁场在吸引着罗盘的磁针。所有的磁铁命中注定要向着不同的两极转动身体，这也可以说是 N 极和 S 极的一种本能活动吧。

“问题还是磁铁。只要有块磁铁，我就可以把手表的秒针变成罗盘了。”

这话也没错。即使铁片接触到磁铁的时间只有一小会儿，也会带上磁性。这就是为什么沾在磁铁上的铁屑可以像磁铁一样吸引其他铁屑。

“只要谁能借给我一块磁铁，把它吸在秒针上，不就可以当罗盘用了吗？”

这么说就不对了。如果想把秒针变成和罗盘指针一样的磁针，只把它放到磁铁一端可不够，必须使秒针两头变成N极和S极才行。所以，必须将秒针的一端与磁铁的N极摩擦，另一端与磁铁的S极摩擦，这样磁铁的性质才能全部传递到秒针身上。

“把秒针变成罗盘又能怎么样？把它放到手掌上也辨别不了方向呀，怎么才能让指针水平地浮在空中，还能自由旋转呢？对了，把它搁在树叶上，再放到水里就行了。”

又说对了。如果把磁针放在手掌上，高低不平的手掌有一定的摩擦力，会妨碍磁针的旋转，所以没法确定方向。但是，如果把磁针搁在轻飘飘的树叶上，然后再放到水面上，这样，因为几乎没有阻力，所以可以比较准确地确定出方向。

在四个问题当中，鲁滨逊说对了三个，还是很聪明的。可是，那又有什么用？前提是必须有磁铁呀。如果找不到一块天然磁铁，就算鲁滨逊的计划再完美，也不可能制作出罗盘。

夜越来越深了。鲁滨逊的眉头也锁得越来越紧。所有的理论根据都有了，可偏偏就是想不出一个能制作出磁铁的方法来。跟普罗米修斯和亚里士多德相比都不逊色的鲁滨逊，对这个问题却感到束手无策了。

“唉，哪怕只有指甲盖儿那么大的一块磁铁也行啊……”

黑暗的夜空中长久地回荡着鲁滨逊的叹息声。最后，他还是只能等到第二天，通过观察木棍的影子来确定方向。

罗盘真的是一心一意只向北吗？

地球是一块巨大的磁铁。科学家们推测，是地核内部的大规模流体运动制造了地球的磁场。另外，由于地球内部产生的热和地球的自转，铁和镍构成的地球外核也会形成对流，产生磁场。

罗盘利用的就是地球磁场的特点。地球磁场的S极在北极，

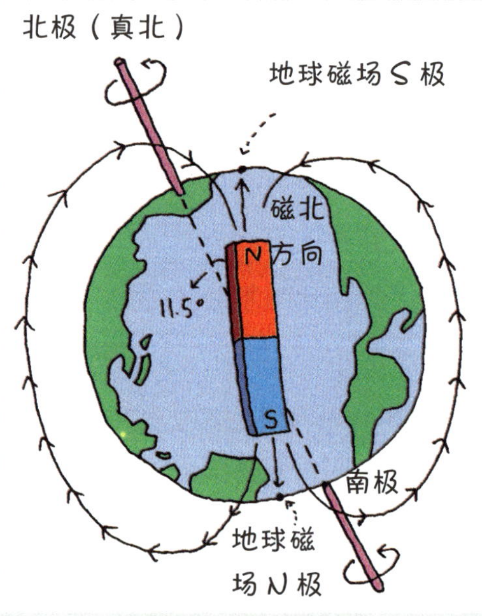

地球磁场和罗盘

N极在南极。具有磁性的罗盘的N极被地球的S极吸引，指向北边，S极被地球的N极吸引，指向南边。

地理上的北叫“真北”，罗盘所指的磁场的北边叫“磁北”。真北和磁北虽然看上去好像是一致的，事实却并非如此。如果拿着罗盘，一直朝指针所指的方向走，是无法到达北极的。

随着地球磁场的变化，磁北也会发生变化。

目前，地球南北轴和罗盘南北轴大约相差11.5°。如果只依靠罗盘去北极探险的话，肯定不会到达北极，多半会在距北极1500千米的俄罗斯西伯利亚地区徘徊。如果去南极探险的话，在澳洲南部的海边也会遇到相同的问题。

下面，让我们来看看磁北变化的记录。1580年，伦敦的罗盘指针从真北向东偏离了11°，1660年，和真北保持了一致，而1820年和1970年又分别向西北旋转了24°和7°。据推测，在地球外围的大规模流体运动中产生的小陨石是引起地球磁场变化的原因。而根据观测，目前，磁北每年都会有0.1°的变化。

韩国版西部开拓者

再次睁开眼睛的时候，太阳已经高高地升到半空了。终于到达目的地的小山坡后，鲁滨逊先倒头呼呼大睡了一觉。连着几天急行军，腿又酸又肿，随身带的那点贝肉吃完以后，就再也没吃过什么东西，胃早就在抗议了。

历经千辛万苦找到的果然是一块风水宝地。还好在山坡周围没有很高的山，所以可以毫无遮拦地看到大海。海边还有一条不大不小的溪流，水里摇摇摆摆地游动着不少个头儿很大的鱼。海滩上，沙、土各占一半，到处都是不知名的贝类。

“现在，只要再盖所房子，我就可以在这里安家了。”

鲁滨逊在海边一边散步，一边捡贝壳。肚子一饿，他忽然又想起在森林里想到的找食物的方法来。

“我要采果子，捕鱼，还要放捕兽器抓小动物。”

忽然，他想起梦里出现的老鲁滨逊腰上挂着的野兔来，不禁流出了口水。他都记不清自己有多长时间没尝过肉味了。

最要紧的还不是食物。从昨天开始，就老是阴云密布的，这可不是什么好事。如果这种天气持续下去的话，雨季可能就快来了。万一开始下雨，藏身之处可就成了大问题。所以，一定得尽早建造一个安全的庇护处。

“我可以先砍一些树来庇护所的框架，再用海滩上的泥土抹墙壁，屋顶上铺上厚厚的树叶。哦，对了，为了防水，得先用石子铺好地基。如果我能打到什么猎物，就可以用兽皮铺床了。卫生间怎么办呢？就随地大小便？”

不知是因为历尽艰苦才找到风水宝地，还是真像妈妈说的，住处会影响运气，总之鲁滨逊内心充满希望，准备开始无人岛上的新生活了。他抿着嘴唇，遥望着远方的海面，暗暗下决心：

“我一定可以离开这里。在这之前，我一定要努力生活，就像美国那些西部开拓者一样。”

你知道吗？

还没有吃到东西，只凭想象就会流出口水，这种现象叫“条件反射”。条件反射的原动力是记忆或者反复的练习。在给狗喂食之前，总是先摇铃，那么以后只要一听到铃声，狗就会流出口水，这就是著名的“巴甫洛夫实验”。咀嚼时的口水是直接刺激感觉器官而产生的，这类反应叫“无条件反射”。条件反射的中枢在大脑皮层上，而无条件反射的中枢在脊髓和延髓上。

哎呀，错过了一条船

吃完饭，鲁滨逊先在山坡上点起信号火，然后又跑到海边，用石子摆了个硕大的“SOS”。

“是写正楷还是草书呢？早知道有今天，就应该先好好练一下书法才对……书法好的话，追求女朋友末淑的时候，写情书也会方便得多。真是‘少壮不努力，老大徒伤悲’呀。”

他无意中一抬头，看见远处海平面上好像有个小点在动，鲁滨逊的眼睛立刻瞪得比灯泡还大。

“那是什么？好像还在动。”

他马上站起身，跑到海边，伸长脖子向远处望去。突然，他大叫起来：

“是船！！”

鲁滨逊使出全身的力气，飞快地爬到山坡上，然后踮起脚尖，一边喊一边用力挥胳膊。海盗船也好，幽灵船也好，总之是条船，求求你们了，一定要发现我呀……

“嘿噢——喔咿咿——”

可是，那条船好像根本就没有往这边来的迹象，反而越驶越远了。这时，焦急的鲁滨逊忽然看见地上正冒着火苗的火堆。

“火！点火！”

鲁滨逊手忙脚乱地把能看见的干草树枝都扔到了火堆上。

“拜托看看这边吧，这儿有火，还有烟，拜托！”

可还是没用。尽管鲁滨逊扯破了嗓子喊，可过了一会儿，那条船还是离开了鲁滨逊的视线，消失在遥远的海平面的另一边。鲁滨逊像虚脱了一样，瘫坐在地上。

“多好的机会呀，这可是离开无人岛的天赐良机呀！啊啊，难道我要永远待在无人岛上，一直到死吗？”

鲁滨逊难过得掉下了眼泪。他垂着头，缩着肩膀，真想放声大哭，可是因为刚才喊得太用力，现在嗓子连哭声都发不出来了，只能断断续续地发出“呃——呃——”的声音。

这种无声的痛苦持续了很长时间。船消失以后，空空的大海上，只有一只水鸟没心没肺地绕着圈飞。

你知道吗？

声音的强弱是由空气的振幅决定的。表示声音大小的单位是db（分贝）。人耳能听到的最小声音是0db，最大的声音是130db。0db的10倍是10db，而10db的10倍是20db。30db是20db的10倍，是0db的1000倍。我们平时说话的声音大约是60db。

再次充满希望

“笨蛋，我真是天底下的头号大笨蛋。”

鲁滨逊一脸懊悔地骂着自己，被晒黑的脸颊上还清晰地留着两道泪痕。他已经一动不动地在那儿坐了一天。此时，天又开始黑了，海面笼罩在一片晚霞之中。

“真是笨蛋，就你这么个木头脑袋还想离开这儿？”

鲁滨逊刚刚才意识到自己的错误。白天是根本看不到火苗的，浓烟才是更有效的求救信号。如果想让烟浓一些的话，就应该燃烧潮湿的草和树枝。这么简单的事情都没想到，就算再怎么拼命地点火，距离那么远的船也根本看不着。

“你这个大饭桶！镜头放在那儿是干什么用的？难道是煮来吃的吗？”

是的，距离远的时候，用玻璃反射阳光发出信号，比火或者烟的效果更好。其实鲁滨逊老早就听说过，当船员遇到海难时，就是利用镜子来发求救信号的。可是刚才发现船的时候，这些知识早就被他丢到爪哇国去了。

当然，即使利用镜头反光，船上的人也未必一定能发现他，不过试了以后再失败和试都没试，是有本质区别的。后者的结果就会像鲁滨逊现在这样，后悔不已。

这天晚上，鲁滨逊一直垂头丧气，沉浸在悔恨和自责中，等他站起来的时候，已经是深夜了。他告诉自己，不管怎么样，船已经走了，现在再怎么后悔都于事无补。

“不过，这至少说明，这里是有船经过的，以后总会有机会。要想下次不再错过，从现在开始就得做准备，像现在这样整天傻坐着可不行。”

鲁滨逊向火堆走去，在灰烬中找到了还没有完全熄灭的火种，虽然外表看上去已经熄灭了，可其实里面还在燃烧着。望着这颗火种，鲁滨逊忽然觉得一阵感动，好像又有了力量。

过了一会儿，火堆又熊熊地燃烧起来了，沉入黑暗的山坡在火堆的照耀下又亮起来，同时希望也回到了鲁滨逊的眼中，他的眼睛又开始像以前一样闪闪发光。

你知道吗？

船会按照一定的路线航行，这就是航线。最初的航线不是固定的，但随着海上交通的发展，航线也开始像陆地上的道路一样，逐渐被固定下来。地理上把航线分为沿岸航线、近海航线和远洋航线，而在航运中，又分为定期航线和不定期航线。定期航线和不定期航线在世界地图中都有标记。

Stage 3 已成无人岛资深居民
重演
“新石器时代”
文明
白天出去找食物，
晚上回来盖房子，
鲁滨逊的生活技能越来越纯熟，
看起来，
无人岛上他也能活得有滋有味……
?

拔树盖房

盖房子可不像想象中那么容易。鲁滨逊虽然想起了以前在首尔郊外见过的用原木搭的房子，可他明白，自己不可能盖出那样的房子来。森林里虽然有取之不尽的木材，可是鲁滨逊却没有一样可以伐木的工具。

“做把石斧不就行了吗？”

鲁滨逊想起漫画里看过的原始人的石斧来。可是，要把一块石头做成能砍树的斧子，在石器时代也只有手法纯熟的人才能完成。况且鲁滨逊也没有那么多时间呀，无论如何得赶在下雨之前盖出一所房子。

“这时候，要是有把电锯该多好。”

鲁滨逊挠了挠头，马上又对自己前面的话做了修正。

“傻瓜！你脑子进水了吗？有电锯又能怎么样？这里根本就没有电！”

最后，鲁滨逊不得不彻底推翻盖一所豪华别墅的构想。

咔嚓——树枝被一根根折了下来。此时鲁滨逊正在树林里转悠，见到胳膊粗细的树枝就折下来拿在手里。有的直接一折就下来了，可有的长得特别结实，怎么折也折不断，于是鲁滨逊干脆爬到树上，用脚去踩。

他的新计划是盖一间帐篷式的小茅屋。他想先用树枝搭一个A字形的架子，然后用土抹好缝隙，再像铺瓦一样在顶上盖几层大树叶，这样，一间茅草房就完工了。他准备用一些藤蔓来绑木头，幸好树林里到处都是泰山抓着荡来荡去的那种长藤。

鲁滨逊埋头苦干了一天，终于收集齐了足够盖一间茅屋的树枝。下面要做的就是找一根粗点儿的木料来做柱子。别的还好说，这根柱子可马虎不得，必须能撑住整个茅屋的重量才行。

鲁滨逊向四周望了望，忽然发现不远处就有两棵并排的小树，跟自己的腰差不多粗。虽然树不是很粗，可要想不借助任何工具把它弄断是根本不可能的。不过，鲁滨逊脑子里早就有了主意。

“没法砍的话，我可以拔呀。”

空手拔树？难道鲁滨逊以为自己是大力神？要不就是在无人岛的森林里找到了小臂粗的老山参，吃了以后长了力气？

“力气不够，可以动脑子呀。人是靠什么成为万物之灵的？”

鲁滨逊拿起一根树枝，把一头折出个尖儿，然后开始挖树底下的泥土。幸亏森林里的土地不是很硬，没有铁锹也挖得动。他把挖出的土堆在一旁，等到土堆得老高的时候，他终于能隐约看见深埋在土里的树根了。

挖到树根几乎全部露出来以后，鲁滨逊站直了身体，双臂抱

住树干，使劲向上拔。

“嗨哟哟哟——”

鲁滨逊感到树已经歪向了一边，他的额头和手臂上都暴出了条条青筋。

“倒下，倒下，倒下……”

过了一会儿，两个物体终于一块儿倒在了地上。一个是树，一个是抱着树干的鲁滨逊。

最后，辛苦的伐木工作终于完成了。两棵树和一个人并排躺在地上，形成了一个“三”字。

躺在两棵树中间的鲁滨逊不住地感叹着：

“每次我把钱掉到地上，弯腰去捡的时候，妈妈总是说，你这小子肯定是个拔树的好手。看来，妈妈果然有先见之明啊。”

现在做柱子的树干已经有了，鲁滨逊马上动手开始房屋主体的建设。

他先把做柱子用的两棵树干的长度弄一致，大约间隔四五米插在地上，从柱顶到地面分别搭了两根粗树枝，然后用藤蔓把上边绑好，下边则用土牢牢地固定住。干完这些以后，他又在侧面绑上长长的树枝。

把柱子固定到地面上的时候，需要特别留心。如果不牢固，一旦刮风下雨，房子就有可能被吹倒、掀翻。鲁滨逊用力地踩着柱子旁边的地，生怕柱子会松动，直到把脚板都踩疼了，他还是不放心。他用脚踢了一下柱子，但紧接着就发出一声惨叫。

“哎哟！好疼！”

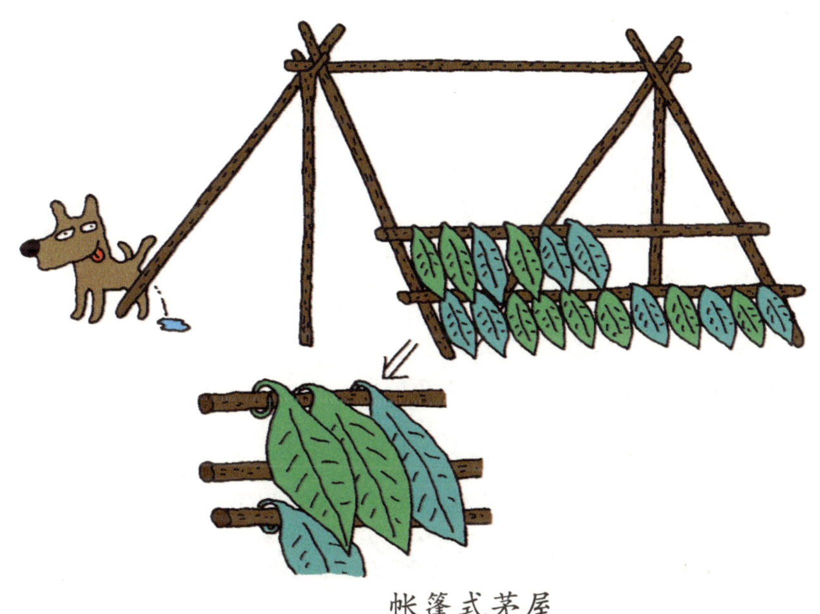

帐篷式茅屋

为了能够通风，鲁滨逊计划在两侧各开一个窗户。正好他有塑料雨伞，可以用来代替玻璃。

把树和树之间的缝隙用海滩上的沙泥抹好以后，再在阳光下晒干，就变成了非常结实的墙壁。在墙的外边铺上厚厚的树叶，就可以阻挡直射进来的灼热阳光。屋顶也像瓦房一样，一层层地绑上树叶就可以了。即使下雨，雨水也会顺着倾斜的墙壁流下去，不会流进屋子里。

用木头搭好房子的结构以后，鲁滨逊忽然想起小时候用积木盖房子的事来。

“那时候，不管多大的房子，有一两个小时就够了……可现在盖真房子了，这么一间小茅屋都要这么费劲。照这样的话，要想把房子盖好，至少得花上一个星期。”

不知不觉，茅屋的架子已经搭好了。虽然与最初设想的原木小屋有很大的差距，不过想想前些天露宿在外夜夜喂蚊子，现在能有这么一间屋子，鲁滨逊已经心满意足了。虽然墙壁和屋顶还没建，可看着眼前的架子，鲁滨逊就觉得建造的好像不是小茅屋，而是一座宫殿。

为了防湿和保温，鲁滨逊在地上铺满厚厚的干树叶，然后，他躺在这张纯天然的植物床上，伸了个懒腰。

“高级别墅有什么用，人应该懂得简朴才对。虽然只是一间简陋的小茅屋，可我照样能够安贫乐道，吟风弄月，哈哈哈……”

不过，只有一间屋子还不够。为了对付阴雨，除了人的庇护所，还需要一个保存干柴和食物的仓库。因为三角形的茅屋内部很窄，根本就容不下别的东西。

“唉，无人岛上也没有房产中介公司什么的，要不然该多方便呀……”

鲁滨逊计划从第二天开始，把白天和晚上的工作分开。

他决定昼猎夜筑，也就是白天出去找食物，晚上回来盖房子。反正白天太阳那么毒，根本没法干活。

你知道吗？

旧石器时代使用的是用石头打制而成的“打制石器”，而新石器时代使用的是将石头切割、打磨后制成的“磨制石器”。后来，以石斧为代表的双面加工石器被原始人使用了150万年。尼安德特人（旧石器时代广泛分布于欧洲的猿人）制造出了更薄、更锋利的“薄片石器”。虽然现代人从4万年前就已经开始使用精细加工后的石器，但是正式制作出石斧则是从1万年前的新石器时代开始的。

大将军鲁滨逊

“可恶的家伙们，只要让我抓住一条，我就立刻放过你们。”

不觉间，和鱼儿们的捉迷藏已经消磨了半天的时间。因为忽然很想吃新鲜的鱼肉，所以鲁滨逊来到树林里的小溪边，想抓几条鱼回去吃。可是那么多的鱼，竟然没有一条速度比鲁滨逊的手慢。

好几次鱼都已经到了手心里，可一抓，又从指缝间溜走了。

最后，鲁滨逊不得不放弃空手抓鱼的想法，在河边找了块石头坐了下来。从早上起就一直泡在水里的脚，现在已经有点微微发红了。

“手再稍微快一点就好了。”

鲁滨逊搓了搓手指，活动了一会儿，又走回水里，俯下身子。这时，一根漆黑的像面条一样的东西缠在了他的手指上，是根水草。看着这根水草，鲁滨逊不由得想起了口感爽滑的面条，肚子越发饿了。

忽然，他感觉有个什么东西从脚背上游过，低头一看，原来是一条小鱼，正在鲁滨逊脚下的石头间来回穿梭。

鲁滨逊弯下腰，把石头翻开来看，果然有三四条鱼在石头间游来游去。看样子，这里好像是它们的游乐园，每一条鱼都欢快地摇摆着尾巴，互相嬉戏着。

“让我抓住吧，让我抓住的话，我就请你吃新鲜的鱼馅包。”

可鱼儿们才不理他呢。鲁滨逊很生气，拿起一块石头，使劲扔到了水里。可是，这块石头并没有什么威力，只是溅起一团水花，然后就摇摇晃晃地沉到了水底。鲁滨逊一看，马上站起身，环顾着四周，想找一块更大的石头。

“我要捣毁你们的游乐园。”

鲁滨逊使出全身力气，抱起一块大石头，向着刚才鱼儿们嬉戏的地方扔下去。扑通——随着一声沉重的响声，石头周围的水面被推向四周。鲁滨逊觉得双手有点发麻，自言自语地说：

“我这是在干什么呀？像个傻瓜一样跟鱼打架……”

忽然，鲁滨逊的眼睛瞪得比灯泡还大。就在刚才扔石头的地方，鱼儿们开始一条条跃出水面。开始，鲁滨逊还以为这些家伙是在向自己提出抗议，可是他马上就明白了怎么回事。晕了！这些鱼一定是因为刚才的冲击，集体晕倒了。

“真是天助我也！”

鲁滨逊急忙动手把鱼捡到塑料袋里。他很担心，万一待会儿这些鱼清醒过来发出警报，让别的鱼都藏起来，那可就麻烦了。

很快，塑料袋里就装满了鱼，鲁滨逊望着水面，不好意思地说：

“不是我故意要害你们，这就是弱肉强食啊……”

陷入迷宫的鱼儿

鲁滨逊把鱼放到火上烤熟，美美地饱餐了一顿。这可是流落荒岛以来吃到的第一顿营养晚餐。那些鱼在塑料袋里又恢复了精神，可仍然迷迷糊糊的，再怎么挣扎也不可能回到故乡去了。

新鲜的鱼肉，加上一些海盐，味道是贝肉没法比的。连着几天只有贝肉可吃，鲁滨逊早就腻烦得要命了，而且吃完鱼肉以后，还可以把鱼刺当作牙签来剔牙，简直是太舒服了。

“不过，今天只是运气好而已。这些家伙又不是总在石头底下玩的……”

鲁滨逊虽然有时候很狂妄，不过大多数时候还是很谦虚的。他很清楚，今天能抓到鱼，纯粹是因为运气好。这种事情也就偶尔会有那么一两次，要想有稳定的食物来源，得另想办法，还必须是个既方便又有效的方法。

“有了，我可以做一个迷宫，让鱼困在里面出不来，那些鱼肯定不会那么聪明的。”

鲁滨逊拿定了主意，就立刻动起手来。而且，他已经有了很多可以用来做迷宫的材料。为了盖仓库，他砍了很多树枝，并把它们绑在一起，现在正好派上用场，用来当水中迷宫的围墙。他一捆一捆地把树枝运到河边，然后开始思考该把迷宫做成什么样子。

“是心形好呢，还是V形好？要不做成星星的形状？”

终于，鲁滨逊在河边修好了一个迷宫。而且，在修建迷宫的过程中，他又想到了一个好主意，那就是在海里也建一个一模一样的迷宫。

“海里肯定有不少随着涨潮被冲到浅水里来的鱼。退潮以后，我可以在离水最近的沙滩上做一个这样的迷宫，这样的话，下次退潮的时候，肯定就能捕到好多鱼。呵呵呵，不管怎么看，我都是个天才。”

捕鱼用的迷宫

鲁滨逊刚要往回跑，忽然脑子又开始急速运转起来。

如果只做一个迷宫，光靠那几根树枝能捕到几条鱼呀。应该在迷宫里放点诱饵才好。吸引这些笨蛋的最好诱饵当然就是吃的了……可是，鱼爱吃什么呢？

想了一会儿，鲁滨逊就到河里捉了一些小虫，然后把扔在火边的鱼内脏和鱼眼睛什么的收集起来，准备用来当鱼饵，穿鱼饵的针则是鱼背上的长刺。利用死鱼的残骸去抓它的同类，鲁滨逊忽然觉得自己好像很卑鄙，不过，他转念一想，这是为生计所迫，也是没办法的事呀。

第二天，鲁滨逊愉快地从迷宫中捕获了一大堆鱼，海里的迷宫里虽然只有一些小鱼，不过，小河里捕到的淡水鱼中，可着实有几条大家伙。看着水里上下扑腾的鱼，鲁滨逊忽然一脸向往地自语道：

“要是迷宫里能捕到一条美丽的人鱼公主该多好啊……啊不，不是一条，应该说是一位才对。安徒生是怎么写的来着？”

你知道吗？

“迷宫”源自希腊传说中的“labyrinth”。克里特国王弥诺斯的夫人生下了牛头人身的怪物弥诺陶洛斯，国王为了囚禁这个怪物，让人修建了一个进去以后就再也找不到出口的建筑，里面都是弯弯曲曲的路，这就是迷宫。后来，一个少年把一根绳子的一端系在门上，边走边放开绳子，最后沿着绳子才成功找到了出口，破解了迷宫。

鲁滨逊挖野菜

有了鱼之后，鲁滨逊又开始动手到处寻找新鲜的野菜。

虽然韩国的海鲜比蔬菜昂贵许多，可是鲁滨逊又不是北极人，每天只吃鱼可受不了。这种植物性的食物不仅可以解馋，更重要的是，在营养均衡方面必不可少。

森林里虽然生长着无数的植物，但并不是所有的植物都可以吃。稍不小心，就会食物中毒，严重的话，说不定还会变成一脸菜色的绿色人。鲁滨逊考虑了一下，决定先挖一些自己认识的，或者跟妈妈从市场买回来的蔬菜差不多的野菜。

“这个是蕨菜，可以吃……哦，这个是艾草……咦，这个长得也不错，吃一下试试。”

鲁滨逊在树林里兜了一圈，把各种野菜都挖了一点回来。其中有像艾草和蕨菜这些经常见到的植物，还有一些虽然叫不上名字，可看着很面熟的植物，可惜没有发现鲁滨逊最喜欢吃的桔梗。

“看来，歌里唱的‘万里山川，处处生长着桔梗菜’不包括无人岛。”

最有代表性的几种食用植物

（从左至右分别是卷丹、蒲公英、苦菜花）

对于采回来的这么多野菜，鲁滨逊打算每天只试吃一种。因为如果一次吃好几种的话，即使觉得不舒服，拉肚子，也没法判断是由哪种野菜造成的。而且试吃的时候，一定要先吃一点点，觉得味道稍有不对，或者口感很奇怪，就要立刻吐出来，并马上漱口。

几天过去了，鲁滨逊已经确定了很多可以放心吃的野菜。而且，他还知道了在各种野菜中，叶子、茎，还有根，哪部分是最柔软、最好吃的。不仅如此，对于哪种野菜需要多煮一会儿再吃，哪种野菜挖出来以后要尽快吃等等，他都了如指掌。现在，鲁滨逊的饮食已经完全摆脱了贝肉一统天下的局面，正在追求荤素搭配，营养均衡。

无人岛上也不准偏食

所有的动物都必须从外部物质中摄取营养，转化为身体里的能量来维持生命。碳水化合物、蛋白质和脂肪被称为人体必需的“三大营养要素”，加上维生素和无机物质，就是“五大营养要素”。最理想的摄入比例是：碳水化合物55%，蛋白质15%，脂肪35%。

碳水化合物是人体所需大部分能量的来源，是运动神经中枢组织的重要原料。特别是碳水化合物分解后得到的葡萄糖，它是维持神经组织正常机能所必不可少的。

蛋白质是构成细胞的基本要素，是维持生命的必需成分。蛋白质的英文是“protein”，这个词来源于希腊语“proteios”，意思是“头等重要”。肌肉、内脏、皮肤、毛发、指甲的主要成分都是蛋白质。蛋白质在人体中的比例是16%，仅次于水。

1克脂肪可以产生9千卡热量，是超过碳水化合物和蛋白质两倍的浓缩能量源。任何营养要素的摄取量超出人体的需要后，就会在身体里转化为脂肪储存起来（变胖）。相反，如果活动量大，而热量摄取不足的话，储存的脂肪就会被分解（减肥），以产生能量。

维生素虽然不能产生能量，但是可以帮助上面的三种营养要素正常工作。一天需要的维生素量虽然只有很少的几百毫克，但是身体不能合成维生素，所以必须通过饮食来摄取。无机物质不是能量源，却也是人体必需的，特别是钙和磷，它们是骨骼和牙齿的主要成分。

在这五大营养要素中，如果有一种摄入不足，身体就可能出现病症。

下面就是均衡摄取营养所必需的五类基础食品：

- 蛋白质：肉、鱼、鸡蛋、豆类、奶酪、豆腐、黄酱等。
- 钙：牛奶、乳制品、黑鱼、虾等。
- 维生素、无机物质：蔬菜、水果、番茄酱等。
- 碳水化合物：杂粮类、土豆、面包、饼干、米粉、巧克力等。
- 脂肪：各种动植物油、黄油、人造黄油、冰激凌、核桃、芝麻等。

是毒蘑菇？不是毒蘑菇？这是个问题

“哇哦，这里简直就是蘑菇田嘛！”

鲁滨逊两只眼睛瞪得溜圆，他在树林中的一个角落里，发现了各种各样的蘑菇。有又黑又脏的，有红彤彤的，有微微泛白的，还有花花绿绿的……个头从指甲盖大小一直到拳头大小，一应俱全。如果说石头底下是鱼儿们的游乐园，那这里就是菌类的乐园了。

鲁滨逊自打初中的时候，在漫画书里看到蘑菇属于菌类，就再也不吃蘑菇了。可是谁都知道，蘑菇是营养最丰富的食品之一。因为不吃蘑菇这件事，妈妈可没少说他。

“滨逊，你知道这种松蘑有多贵吗？我精心准备的午饭，你竟然全都给我剩下了，你又像个乞丐似的去跟别人要东西吃了吧，对不对？”

想到这些，鲁滨逊决定听妈妈的话，开始吃蘑菇。可是，不是所有的蘑菇都可以拿过来就吃。因为有些蘑菇是有毒的，有的甚至还会对人体产生致命伤害呢。熬过那么多困难活到现在，要是因为一个毒蘑菇断送了性命，岂不是太不值得了？

“这里面一定有毒蘑菇……怎样才能分辨出来呢？”

鲁滨逊忽然想起中学时看过的一本漫画书来，主人公——一对男女在山里迷了路，他们知道毒蘑菇大多颜色鲜艳，所以只挑选那些颜色暗淡的蘑菇来吃，结果活了下来，两个月以后获救了。书名叫什么来着，哦，好像是《蘑菇地的罗曼史》。

“漫画书里的话能信吗？妈妈买回来的蘑菇倒确实颜色都不怎么好看……漫画家应该不会毫无根据地随便画吧？好吧，姑且信他一次。”

漫画迷鲁滨逊决定相信一次漫画书。他先采了少量的蘑菇，打算像试野菜那样先试吃一点，再选择合适的。他想，就算吃到了毒蘑菇，只吃那么一点点，应该不会有太大问题吧。

这些蘑菇中，有几个的花纹是很深的粉红色。

“嘿嘿，小心！颜色这么鲜艳，一看就知道是毒蘑菇。这些坏家伙！”

鲁滨逊干脆把那几个粉红色蘑菇扔了出去，连碰都不再碰。

还有一些蘑菇的根上长着像脓疮一样的东西，鲁滨逊也果断地把它们剔除出去。因为，他脑海里响起了爸爸的声音：

“不管什么事，根本都是最重要的。一个根基不好的家庭是不会出什么人才的。我们鲁家自古就是书香门第，出了无数的学者文人……那谁谁呀，还有那谁谁呀……所以，滨逊你完全是我们鲁家的一个变异。”

把那些看着就很可疑的蘑菇扔掉以后，鲁滨逊捧着剩下的回到了营地。他先在空桶里放上水，再点上火，然后拿起蘑菇轻轻撕开。

有几个蘑菇的茎里有一些难看的黑色斑点。

“啊呀，病毒！”

鲁滨逊吓得慌忙扔掉了蘑菇。他的脑海里立刻浮现出了电影《费城故事》中汤姆·汉克斯身上的红色斑点，先是引起大脑紊乱，然后又引发病毒的情景。

一点一点地把不好的去除掉以后，剩下的蘑菇就只有五六种了。对于最后剩下的这些，鲁滨逊觉得大部分看上去很熟悉。因为它们的样子和妈妈菜篮里的那些蘑菇差不多。圆圆的松蘑，扁

平的金顶侧耳菇，里外颜色不同的香菇，还有细细的陀螺蘑……看样子，全世界的食用蘑菇都差不多啊。

“早知道这样，开始先把这些挑出来不就得了……可是，无人岛上什么都有，怎么偏偏没有对身体最有益的灵芝呢？”

鲁滨逊把蘑菇煮好后放进嘴里，这时，他忽然想起了自己的高中时代。有一次学校要检查头发，他就把两侧的头发和后边的头发都剃掉了，结果末淑看到他之后整整笑了一天。

“嘿，你可真像一块蘑菇石。本来长得就像蘑菇，竟然又剪了这么个发型，哈哈哈！”

想到这儿，鲁滨逊忽然思念起末淑来。

你知道吗？

蘑菇确实属于菌类（霉），但是我们吃的蘑菇并不是霉。蘑菇只是霉为了繁殖而制造出来的“子实体”。霉的孢子发芽以后，就会成为菌丝，把两个菌丝合起来，就是二次菌丝，二次菌丝长大后就是子实体，也就是蘑菇。蘑菇的生长速度非常快，有时只要 4 个小时就可以长 20 厘米。

到目前为止，已被发现的致病的霉有 200 余种。但是，霉并不是只会带来疾病。1928 年，弗莱明发现的人类最早的抗生素——盘尼西林（青霉素），就是从绿色的霉中提取的。青霉素对细菌具有强烈的破坏作用，对人体却不会造成损伤，是著名的“药用霉”。

无人岛上的捕兽器

刺啦——树林里传出一阵声音，好像有什么东西在动。吓了一跳的鲁滨逊赶紧藏到一棵大树后面，然后探出头，向发出声音的方向小心张望着。他的手里紧紧攥着一根防身用的木棒，手心都攥出了汗。

“什么东西呢？肯定不是风……老虎？蛇？老鼠？还是……难道是食人族？”

他的脑子里立刻涌出好几种想法。

“如果真是猛兽的话，光靠一根木棒可对付不了。要是这个家伙得了关节炎或者食物中毒的话，倒还可以考虑……我记得，遇到熊的话好像可以装死，跳起来就不会被蛇咬到。不过，万一是食人族的话……呃呃呃！”

想到这儿，鲁滨逊觉得后脑勺的头发都竖了起来，全身开始发抖，脑海里浮现出种种骇人的场面。

“真是这样的话，我该怎么办呢？”

鲁滨逊闭上眼睛，想起中学时看过的一本漫画来。书里的主人公被食人族抓住以后，和食人族中的一个少女相爱，后来在少女的帮助下成功逃了出去。书名好像是《食人族的初恋》。

这时，鲁滨逊的眼前忽然跑过一个斑白的物体。确定就是它发出的声音后，鲁滨逊突然放松了神经，一屁股坐在地上。

“鲁滨逊呀鲁滨逊，你这个已经二十岁的成年人竟然会因为这么个家伙紧张半天。”

从树林里跑出来的，是一只活泼可爱的灰色野兔。

“我要抓住它，应该把它抓来吃才对……”

鲁滨逊开始认真研究起抓野兔的方法来。

“跟它决斗，来个正大光明的较量？”

可惜，兔子根本听不懂人说话。就算听得懂，也肯定不懂韩国话。看来，鲁滨逊想跟它对话的希望泡汤了。既然相互听不懂，那跟兔子决斗的事也只能先放一放了。

“要是刚才在路上放个捕兽器等着它就好了。动物们总会在它们经常走动的路线上跑，回头我一定要在这儿放个捕兽器。”

可问题是如何制作捕兽器。在无人岛上，既没有卖捕兽器的商店，也没有制作捕兽器需要的铁丝。鲁滨逊虽然还依稀记得小时候爸爸买的捕鼠夹的构造，不过他记得最清楚的只有被夹住的小老鼠那双悲伤的小眼睛。那时候，他百般请求放掉那只小老鼠，却遭到了家人的一致反对。

“呜呜——把可怜的米老鼠放了吧。”

“滨逊！你要弄清楚，这不是米老鼠，只是个小耗子！”

一闭上眼睛，脑子里就都是日思夜想的家人的样子，鲁滨逊干脆又睁开了眼睛。从他两只眼睛中的亮光来看，他一定是想到了一个抓野兔的好方法。

鲁滨逊想到了两个主意。第一个是挖陷阱。能够想到挖陷阱，还多亏了平时看的电视节目。他还想起，小时候为了捉弄村里的大人，他和小伙伴们在后山的小路上挖了一个小陷阱，上面盖上草做伪装。结果，散步的大叔大婶们经常上他们的当。

第二个主意是做绳套。鲁滨逊采了一些长树叶，像编辫子似的把它们缠起来，做成一条长长的绳子，把一头圈成一个圆形的绳套，另一头绑在一根树枝上，然后垂到地上。绳套的直径正好比一般野兔的身体宽度稍大一些，野兔身体或腿一碰到绳子，绳套就会立刻收紧。

但是，绳套从树上垂下去以后，本来圆形的绳套就变成了窄长的一条。大概只有瘦得像根棍儿的兔子才能从这样的绳套里穿过去。鲁滨逊琢磨了一下，立刻有了主意，他先在地上插了两根小树枝，然后把绳套打开，撑在两根树枝上。

绳套做好以后，鲁滨逊准备先试验一下。他把脚放到绳套里边，然后拉动绳子，绳套立刻收紧，套在了脚脖子上。

“这样就差不多了。”

鲁滨逊满意地解开绳套，把自己的脚放出来。现在，只要有兔子从这里经过，一碰到绳子就会成为鲁滨逊的绳中之物了。

至于陷阱，鲁滨逊准备挖在离绳套稍远的地方。按照鲁滨逊

制作打猎用绳套的方法

的想法，那些出门散步的野兔们只有安全通过了这两道关卡，才能顺利回家。

开始，鲁滨逊计划挖出一个大概能抓一两只兔子的小陷阱，可是开始动手以后，他就改变了主意。因为他想，只有挖个更大的陷阱，才能捕到别的大家伙，比如鹿啊，野猪啊，再差也会有头驴什么的吧。

“万一抓到鹿，就可以得到鹿茸；抓到野猪的话，就可以吃烤肉；是驴就更好了，可以给我当坐骑，就像堂吉诃德骑着的罗西南特那样。”

于是鲁滨逊挖了一个无比巨大的坑，即使是头大象掉进去也绰绰有余，然后在上面搭上薄薄的树枝，又在树枝上铺上草和树叶。做完这些之后，他又把刚才挖出来的土运到远处，铺平。陷阱伪装得简直是天衣无缝。

本来他还想在陷阱底下放一些尖尖的竹枪，可又觉得太残忍，于是就放弃了。

“这里是无人岛，又不是杀戮战场。”

现在，万事俱备，只等猎物上钩了。

“从明天开始，每天早晚都要来看一次动静。”

一想起美味的肉，鲁滨逊不禁咽起了口水。突然，他好像想到了什么似的，自言自语地说：

“万一兔子和狮子一起掉到陷阱里怎么办？那就只能让狮子把可怜的兔子吃掉了。”

打猎用的陷阱

沙滩，鲁滨逊的藏宝库

海边辽阔的沙滩成了鲁滨逊独一无二的藏宝库。在这里，数不清的各种生物遵循着它们自己的秩序，宁静地生活着。每天退潮的时候，鲁滨逊总会来到沙滩上，捡一些新鲜的海鲜，回去烤着吃。

沙滩上最多的当然就是贝。从指甲盖大小一直到拳头大小，各种各样，种类多得数也数不清。蛏、大蛤蜊、红蛤……其中还有不少特别巨大的贝。

还有一样让鲁滨逊高兴的就是螃蟹。沙滩上到处都有大大小小的螃蟹，它们横着身体爬来爬去。还有一些藏在洞里，只露出眼睛向外张望，如果鲁滨逊走过来，它们马上就会缩到洞里看不到了。再往沙滩深处走走的话，就能抓到个头很大的花蟹，它们每个都有拳王泰森的拳头那么大。

退潮的时候，沙滩上还会留下很多裙带菜、海带等海藻。每到这个时候，鲁滨逊总会珍惜地把裙带菜一根根拾回来，洗干净后放到太阳下晒干。因为这些嚼起来咯吱作响的海藻，不仅富含营养，平时当零食吃也很不错。

“啊！鱿鱼！”

正在海滩上散步的海鸟们，被鲁滨逊的一声惊呼吓得扑棱棱飞向了天空。鲁滨逊一脸惊奇地从脚底下捡起这个意外收获的战利品。本来是想在沙洞里找花蟹的，没想到竟然发现了一只脑袋被剥光的鱿鱼。

“太奇怪了！鱿鱼不是应该生活在水里吗？”

当然不是了。在各种鱿鱼中，有一些生活在海里，也有一些住在沙滩上，最有代表性的就是三脚鱿鱼。这种鱿鱼因为味道鲜美而广受欢迎，但它们的家乡却并不在海里，而是河流下游广阔的湿地。鲁滨逊是在城市里长大的，当然就不知道这些了。他只是坚信，三脚鱿鱼一定就像三轮车一样，只有三条腿。

为了把这只鱿鱼的同党一网打尽，鲁滨逊继续挖沙洞，这次，竟然又发现了一个硕大的海螺。

“哇，是海螺！哈哈，今天我可以煮最高级的海鲜汤来喝了。”

鲁滨逊觉得嘴里已经开始流口水了。正在往土里爬的海螺好像察觉到了危险，迅速把身体缩到了壳里面，可是已经没有用了。

“呵呵，傻瓜，你再怎么藏也没用啦。”

鲁滨逊悠然自得地烤着海螺，忽然想起刚上大学的第一次聚会时认识的一个女孩，那是一个长发姑娘，名叫“海罗”。刚见面她笑得很甜，可吃晚饭的时候，她只待了不到十分钟，就一脸冰冷地走了。怎么会这样呢？在鲁滨逊后悔的独白中，我们知道了答案：

“是我太啰唆了吗？那天晚饭我不就是点了炒海螺肉嘛……”

生活用具

搬到新营地以后，鲁滨逊的生活逐渐稳定下来。鱼、野菜，还有各种海洋生物，让他再也不用担心食物的短缺。自从茅屋盖好以后，晚上也能睡个好觉了。终于有了一些闲暇的鲁滨逊，为了生活更方便，开始制作各种生活用具。

现在最缺的东西就是容器了。以前只吃鱼和贝肉的时候，全部架在火上烤就行了，可现在，随着食物种类和数量的增加，没有盛东西的容器确实太不方便了。而且，为了把食物保存起来，也必须做几个碗碟之类的东西。

鲁滨逊从湿地里挖来一些泥土，做成容器。可是，在阳光下晒干的土陶器，一拿到火上烤就会裂开，所以只能放一些野菜和干鱼，放别的东西就不行了。

“把陶器放到火上烤，应该会变得更结实才对呀。”

可是在无人岛上，既没有窑，也没有风箱，根本就不可能烧出器皿来。虽然可以在地上挖个坑，在里面点上火以后，把容器放到里面烧，可是这样的话，还没等拿出来，容器就会裂成一瓣

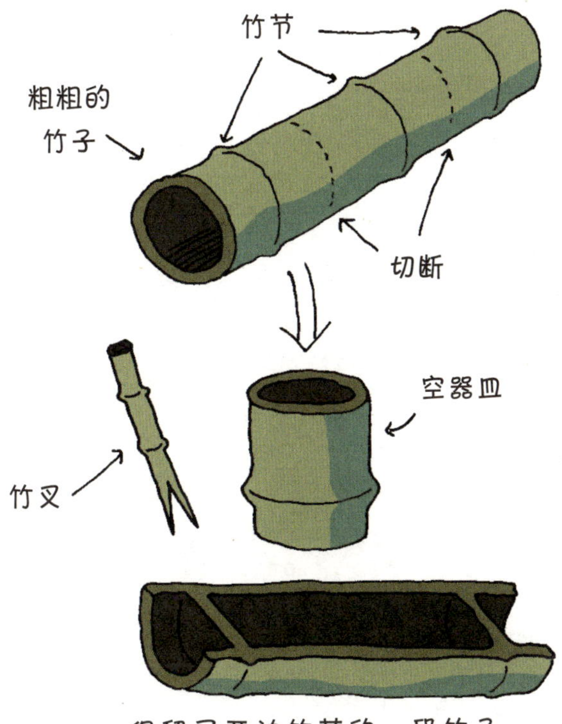

保留了两边竹节的一段竹子，
可以做成盘子或者小盆。

竹子餐具

儿一瓣儿的了。看来，直接把陶器放到火上烤的法子是行不通的。

要成功做出陶器，必须先把颗粒直径 0.01 毫米以下的细黏土做成容器的样子，放在阴凉处干燥以后，再进行烤制，火的温度必须逐渐升高。然后上釉、干燥，最后再放到火上烤。没有釉的时候，可以把松枝或者草屑溶到水里来代替釉。但是，对于连橡皮泥都没捏过的鲁滨逊来说，要掌握这个方法根本连门儿都没有。

最后，鲁滨逊放弃了烧陶，准备另想别的办法。他找到的新材料是竹子。

取一段竹子，保留两端的竹节，然后从中间劈开，就成了一个两边被截住,中间可以盛东西的容器。而且,把竹子放在火上烤，除了会被熏黑之外，完全不会裂开，用来煮贝壳汤或者蔬菜正合适。多亏他在树林里发现了大片大片的竹林，那里生长着胳膊粗细的竹子。

这下，容器问题总算解决了。

下一步，鲁滨逊就开始制造石器。他打算做一些砍树或者打猎时可以用的石斧和石刀。在砍树和打猎的时候，他身上的那把瑞士军刀一点忙都帮不上。

要想做石器，必须选用很结实的石头。鲁滨逊还清楚地记得用石头取火失败的事情，有了上次的教训，他决定这次一定要挑选好石头。

他跑到河边，还好，在河边的岩石和小石子中间，他发现了大小合适的石英。

鲁滨逊先挑了一块比较宽的石头准备做石斧，还挑了一块比较长的石头准备做石刀。然后，他就开始用小石子使劲磨这两块石头。啪啪啪——石头摩擦的时候，随着粉末的散落，不时爆出点点火星。

“怎么像在焊石头一样。”鲁滨逊擦了擦额头上的汗珠，若有所思地自言自语道，“要是早发现这些家伙，当初哪儿用得着那么费劲地点火呢。”

鲁滨逊提着石斧向森林里走去，来到一棵早就看中了的松树旁边。做木柴的话，什么树都可以，为什么偏偏盯上了这一棵呢？原来他是看中了松树上的松脂。

从很早以前开始，富含松脂的松树的树节或者根，就被广泛地用作照明的材料，人们称之为“松明”。

而且，鲁滨逊也想趁机试试新做好的石斧的威力。于是，他使足力气，挥起了石斧。

无人岛的森林中生长的都是几百年以上的大树，想用一把石斧砍倒这样的树，简直是痴心妄想。不过鲁滨逊只是想在树干上砍几个口子，接一些松脂，这还是比较容易的。

“从今天开始，每天夜里就可以有灯光陪伴了。”

鲁滨逊回到自己的茅屋，先在地上插了一根高度合适的木头，接着拿出一个容器，把松明放到里面，然后点上火。

漆黑的茅屋里顿时亮堂起来，还充满了淡淡的松脂的香气。因为松明没有充分干燥，所以冒出很多烟，但是跟明亮的灯光比起来，这点烟又算得了什么呢。黑夜里有了灯，心里似乎也明亮

温暖起来。

清晨，一夜没睡好的鲁滨逊还是睁开了眼睛。随着摇动的灯光，他的影子也跟着摇晃起来。

“小时候，每次点蜡烛，总要玩手影游戏……”

鲁滨逊忽然想起了儿时的游戏，他把双手的拇指交缠，展开手掌，做成一只鸟的样子。于是，茅屋的墙壁上就飞起了一只小鸟。鲁滨逊摇晃着双手，开始跟着鸟一起飞起来。

“要是我也像鸟一样，长了一双翅膀该多好啊。那样的话，我就可以立刻飞回家里去了，真想家呀……”

这天晚上，鲁滨逊梦见自己变成一只小鸟，飞上了天空，然后忽然一声惨叫，吓得四肢发抖，原来后面有一只长得很像末淑的老鹰向他追了过来。

你知道吗？

竹子是从土里的“根茎”开始发芽长大的。从竹笋阶段开始，它就和成熟期差不多粗细了，从露出地面到成熟只需几个月的时间。它的开花间隔一般在20年以上。竹子不仅能在热带生长，也广泛分布于温带地区。竹子可以作为多种建筑材料使用，它的茎部纤维很结实，只有用很锋利的刀才能砍动。

既不是大海，也不是陆地的“第三片土地”——湿地

湿地就是海边平整辽阔的一片土地。在与河流下游交汇的海岸边，如果随河水流下来的泥土和沙子没有继续往前流，而是堆积在了那里，日积月累，就会形成一片湿地。它既不属于大海，也不属于陆地，是“第三片土地”。

要想形成湿地，浪涛必须较弱才行。另外，地形要很平坦，水要比较浅，潮水涨落差要比较大。完全具备这些条件的地方不多，比如有韩国的西海岸、欧洲的北海海岸、美国东部的乔治亚海岸和南美洲亚马逊河下游等。

湿地的种类有由沙子形成的沙湿地、由泥土形成的泥湿地、两种混合的泥沙湿地。如果想形成泥湿地，海水的水流必须比沙湿地更加缓慢，因为泥土的颗粒比沙子更细、更轻。

湿地里栖息着无数的生物，其中最多的就是水蚯蚓、螃蟹和贝类，它们的数量大约占了湿地生物总量的90%。在有机物比较多的泥湿地上，螃蟹和水蚯蚓很多，而在沙湿地上，则是贝壳比较多。韩国的湿地面积大约是2800平方千米，占全世界湿地面积的3%，不过，近些年由于各种开发建设，60%以上的湿地都遭到了破坏。

得到肉和兽皮

“老天爷呀！难道你没有听到我的祈祷吗？我祈祷的时候不是说，请你给我一只兔子吗……”

明明是这样祈祷的，可为什么老天爷送来的不是一只兔子，而是两只呢？鲁滨逊早上发现，捕兽夹夹住了一只灰兔的脚，兔子正在拼命地挣扎，而陷阱里也趴着一只兔子。

“呵呵，一个晚上就是两只……”

鲁滨逊乐得嘴都合不拢了，那样子就好像买的彩票中了大奖一样。

“可是，我该拿这两个家伙怎么办呢？”

鲁滨逊挠了挠头，这些兔子不是用来观赏，也不是用来养着玩的，而是要用来吃的。可是说起来容易，那就是要把它们杀死呀。

“看它们的眼神多可怜，我怎么能下得了手呢……”

鲁滨逊闭上眼睛，摇了摇头。他只想到了抓兔子和吃兔子，可根本就没想过中间这个过程。对鲁滨逊来说，这回可真是遇到了大难题。

鲁滨逊晃了晃头，清醒过来。自己现在的处境可不是放生的时候，其实到现在为止，被自己吃掉的那些贝啦、鱼啦，还有鱿鱼，不也是宝贵的生命吗？

不管怎么说，现在活下来最重要。

“好吧！闭上眼睛，一下解决问题。”

下定决心的鲁滨逊先深吸了一大口气，然后高高举起防身用的木棒。

鲁滨逊把耷拉下来的兔子的后腿绑好，挂到树上，然后拉住前腿，把刀插进皮肉之间，再慢慢地推刀，把兔皮剥了下来。皮很容易就离开了身体，比想象中简单多了。

接下来要把头和身体分开。这一次虽然比刚才举起木棒时更加犹豫，可鲁滨逊定了定神，还是像刚才那样，闭上眼睛，把笨重的石刀伸向了兔子的脖子。

鲁滨逊一边吃着肥美的兔肉，一边来回打量着剥下来的那张兔皮。要想用这张兔皮的话，必须先进行鞣皮，弄得比较柔软才行。可是在无人岛上，到哪儿去找鞣皮用的化学药品呢？

“到底怎样才能把它做成皮袄呢？要不，先把它泡到盐水里试一试。”

鲁滨逊把毛皮里边的肉和脂肪层清除干净以后，就把它放到了海水里。他的想法是，这样做即使不能让兔皮变软，至少也可以防止它腐烂。然后，他又把兔皮放到流动的河水里，把盐分冲干净。可兔皮还是硬邦邦的。

“哎呀，算了，不能做衣服的话，就拿它当褥子吧。”

于是，鲁滨逊放弃了做件兔皮袄的想法，把兔皮铺到了床上。

“在无人岛上又没人看，穿皮袄有什么好，真是的。”

想到这儿，鲁滨逊忽然想起了伊索寓言中的故事，想吃葡萄可又没吃着的狐狸说：“那葡萄肯定是酸的，有什么好吃！”鲁滨逊无奈地叹了口气：

“我才不是狐狸，末淑每天看到我，都管我叫狼。”

但是，在无人岛上真的没办法穿皮袄吗？其实，只要剥下一些栎树的树皮，泡在水里，就可以代替软化兽皮的鞣皮药品了。这种溶液的浓度越大，温度越高，效果就越好。大约浸泡十天以后，拿出来漂洗干净，再把皮的内侧朝上放在阴凉的地方晾干，然后就可以用来做柔软温暖的皮大衣了。

躺在铺了皮毛的床上，比躺在树叶上舒适温暖了许多。鲁滨逊决定以后每次抓到兔子或者其他动物的时候，都把皮保存下来，等离开无人岛时，全都带回家去。

“除了皮袄，还可以做钱包、皮带和皮鞋，到时我可以举办一个毛皮时装发布会了，嘿嘿。”

他忽然想起去年冬天和妈妈的一次口角来。

“老妈，给我买件皮衣吧。”

“不行！没钱。”

“那……那就买皮马甲。”

“都说过不行了！要是饿了就吃饭，干吗非要买那个？”

制作熏肉

食物越来越多，现在鲁滨逊急需一个有效的保存方法。因为如果把肉和鱼放在又闷又湿的海边，还没等到吃就全都变质了。

“我可以把它们做成肉脯或者鱼干，风干以后不就不容易腐烂了吗？”

于是，鲁滨逊每次抓到兔子以后，先处理干净，然后放到盐水里腌，再挂到阳光下晒干。

鱼的处理方式也是这样：先把容易腐烂的内脏和鱼鳃取出，在盐水里腌过以后，再挂在树枝上风干。

几天以后，鲁滨逊的茅屋就变得像海边渔村一样，四周都挂满了干鱼。

但是，鲁滨逊的这种方法其实不太妥当。这样制作出来的鱼干勉强可以吃，但是制成的肉脯与烤肉相比，味道差很多。对于平时吃饭总爱挑肥拣瘦的鲁滨逊来说，吃这种难吃的食物，跟挨饿一样不能忍受。

“烟！没错，有办法了！”

望着火堆上升起的袅袅烟雾，鲁滨逊忽然来了灵感，愣了半天神儿的眼睛终于又放出了光彩。

“可以做熏肉呀。又软又好吃的熏肉。”

这确实是个绝妙的好主意。用烟熏制过的肉，不仅味道比干肉好得多，而且能保存比较长的时间。因为在进行熏制的时候，烟会将一些防腐成分渗透到肉中。

鲁滨逊一想起美味的熏肉，口水都要流出来了，他决定立刻开始动手制作熏肉。

他先挖了一个大约 1 米深的坑，在坑底点上柴火，然后在距离坑底大约 70 厘米的地方用树枝搭出一个烤架。他把洗干净切好的肉放在这个树枝烤架上，然后用树枝和树叶把坑口盖好，防止烟泄露出去。

现在，只要等着肉被烟充分熏烤后，就可以吃了……

“哎呀呀，又忘了件事。”

鲁滨逊忽然咂了咂嘴，跑过去把坑上面的盖子打开。要想让烟更浓烈，应该烧有点湿的木柴，可刚才鲁滨逊没想到这一点，放进去的都是干柴。

上次有船出现的时候，就是因为这个原因，发送求救信号才会失败，结果这次又差点儿重蹈覆辙。

鲁滨逊拿起精心制作的烤架，然后抱来一捆还泛着潮气的树枝，扔到火上。随着一阵“嘁吱吱”的声音，坑里冒出乌云一般的浓烟。鲁滨逊被烟熏得直流眼泪，他急忙把坑盖好，然后感慨地说：

“唉，脑子笨的话，身体也会受苦的。”

制作好的熏肉满满地塞了一缸以后，鲁滨逊悬着的心才放了下来。有了这么多食物，即使下雨，也可以暂时应付过去了。

就在这天夜里，鲁滨逊从梦中被突如其来的雨声惊醒。黑沉沉的夜空中，垂下了一幕幕雨帘。

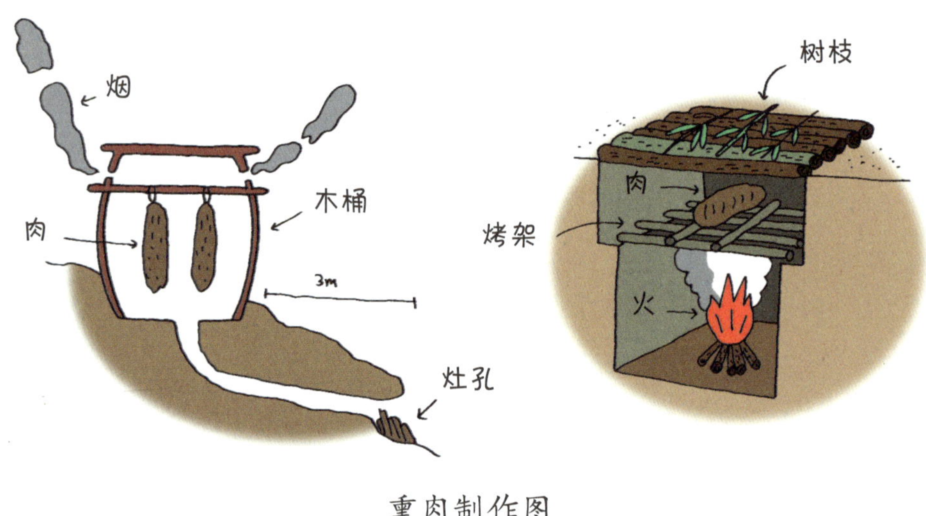

熏肉制作图

你知道吗？

熏制的目的大体有三个：第一是去掉水分，使食物干燥；第二是让食物吸收烟里的防腐成分，提高保存时间；第三就是用烟的香味去掉鱼、肉本身的腥味，使食物的味道更加鲜美。熏制是一种常用的食品保存方法，大约开始于西周时期的中国。

Stage4 荣升无人岛首席居民
获得战胜忧郁的力量
电闪雷鸣，风雨大作，
恐惧和绝望同时袭向鲁滨逊，
眼睛突然失明，火种也无情地熄灭，
不过，有一个人让他重新燃起了希望……

忧郁的日子

雨不停地下着。狂风猛烈地吹打着小茅屋，好像要把屋顶掀翻一样，海边巨大的浪涛也似乎要把整个小岛吞没。风声、雨声和海浪声混杂在一起，如同战争电影里的音响效果一样，真是令人心惊胆战。

鲁滨逊忧郁无奈地望着外边。被乌云遮盖的无人岛，即使在大白天，也像黄昏一样一片灰暗。因为有泥水流进来，茅屋的地上已经是一片泥泞，屋里充满了湿气。为了保存火种，鲁滨逊把火点在了一个空桶里，可是，只靠这一点点火，根本不能阻挡四散的潮气。

滴答——鲁滨逊听到一阵水珠滴落的声音。原来是从屋顶流下的雨水掉到水桶里的声音。才一会儿的工夫，刚刚还空空如也的水桶就被雨水填满了。

“被海水围起来也就罢了，现在竟然连雨水也来欺负我……”

站在湿成一片的地上，鲁滨逊无力地耷拉着脑袋，脸上一副前所未有的凄凉表情。

滴滴答答的雨仿佛也下到了鲁滨逊的心里。此时，鲁滨逊的心比乌云密布的天空还要暗淡。

“我真的能离开这儿吗？还是会一个人死在这儿，连尸体都不会被人发现？”

问的次数越多，他的怀疑就越大。倾盆而下的暴雨像肥料一样落在他的心上，让能否离开这里的怀疑种子逐渐壮大。

时间好像突然变得难熬起来。自从落难以后，鲁滨逊每天都在为生存而忙碌，觉得一天24小时都不够用，根本没时间想其他事。可现在下雨了，什么事情都做不了，各种懦弱的念头就开始冒出来。对于落难者来说，最大的困难不是寒冷和饥渴，而是吞噬生存意志的无聊感和压力。

鲁滨逊一整天什么都没干，只是愣愣地坐在那里发呆，好像连吃饭都忘记了。他目光迷离，眼前摇晃着被大海包围的无人岛，还有即将被暴雨淹没的茅屋。这些忧郁的时间无望地流逝着，让人如同陷入沼泽一般。

你知道吗？

心情和天气有着密切的关联。如果通过眼睛传递到大脑的阳光减少，决定心情的荷尔蒙就比平时分泌得多，人就会变得忧郁起来。在日照量少的北半球高纬度地区，季节性抑郁症的发病率高就是因为这个原因。对季节性抑郁症患者来说，采用强光集中照射眼睛的“光线治疗”，会有不错的疗效。

恐惧与绝望同时到来

一道闪电划过，漆黑的天空瞬时被照得豁亮。

紧接着，一记响雷像要撕破耳膜一样爆响在空中。熟睡中的鲁滨逊猛然被雷声惊醒，他急忙站起身，向外张望。刚才的声音太可怕了。

“雷好像就在不远的地方。”

电闪雷鸣还在继续着，每隔几秒就来上一次。

闪电不停地划破夜空，而脚下就像地震一样摇晃着，连屋里的水桶都被震得直摇，里面的雨水洒了一地。

“这样下去，雷该不会劈到屋里来吧？”

想到这里，鲁滨逊忽然打了个寒噤。

霹雳通常会落到地面上最高的地方，所以附近最危险的地方就是这个山坡。

毫无疑问，如果霹雳落在这附近的话，第一个击中的肯定是茅屋的屋顶。屋顶上又没有避雷针，万一霹雳真的打下来，说不定会着起火来，后果简直不堪设想。

雷声越来越近了。鲁滨逊努力控制着自己的紧张，默数着光和声音的间隔。

3 秒，2 秒，1 秒……闪电和雷声几乎是同时传到的，此时，刚才的紧张已经变成了恐惧。

“要赶快走，必须离开这里……”

鲁滨逊不顾一切地冲进了瓢泼的暴雨之中。

但是外面也一样可怕。闪电像巨大的树根一样笼罩着整个小

岛，四面八方好像都响着无情的雷声。虽然鲁滨逊闭上了眼睛，捂住了耳朵，可刺目的闪电和震天的雷声还是一遍遍地刺激着他的眼睛和耳朵。每次闪电的时候，鲁滨逊的颤抖就会暴露在白昼一样的亮光中。

这样下去，活着还有什么意思？不管费多大劲，就算能在无人岛上活下去，早晚还是要死在这里。不如痛痛快快被雷劈死算了，至少不会这么痛苦……

鲁滨逊胡乱想着，内心深处升起一种深深的绝望。

又过了许久，闪电和雷声终于停了下来。

鲁滨逊疲惫不堪地蹚着泥水，回到自己的小茅屋。屋外，倾盆大雨还在不停地下着。

你知道吗？

光的速度大约是30万千米/秒。声音的速度大约是340米/秒。因此，闪电一发生时就可以看到光，而雷声要迟一点才能听得到。通过计算闪电和雷声的时间差，就可以知道闪电发生的地方距离自己有多远。如果在看到闪电后9秒听见雷声，那么距离大约就是3千米。通常，20千米以外的雷声就听不到了。

闪电通常会沿最短的路径到达地面。1752年，富兰克林依据这一原理制造出了避雷针，它的作用是把闪电引导到金属棒的顶端，然后再传到地上。

失去火种

“着起来呀……求求你，不要灭呀！”

鲁滨逊使出了浑身的力气，想把火种重新点燃。就在他跑出去避雷的时候，点在空桶里的火彻彻底底熄灭了。都怪他为了减少柴火冒出来的烟，睡觉之前把火苗弄小了。

没了火种，在雨过天晴之前是不可能再有火了。虽然准备了充足的水和食物，可现在最大的问题是寒冷。在这样风雨大作的海边，夜晚是非常冷的，没有火实在很难熬。鲁滨逊在外边淋了半天雨，现在正是最冷、最需要火的时候。

其实对鲁滨逊来说，失去火种还带来了一个更大的打击。一直以来，这颗火种都被他看作离开荒岛的希望，从第一次点着火以后，他就下定决心绝不让这颗火种熄灭。

这是陪伴了他两个多月的火种，是把他从饥渴中解救出来的火种，还是在岛上各处发出求救信号的火种，这么一颗无比珍贵的火种，此刻却在他眼前熄灭了。

“我错了，求求你再亮起来吧，求求你了……”

但是没有用了。

不管他怎么呼唤，熄灭的火种也不可能再次燃烧起来。

“灭了，终于灭了……”

鲁滨逊脑子里一片空白，一脸茫然地呆呆望着熄灭的火堆。

咔——他的心里仿佛传出什么东西断裂的声音，埋藏在他内心深处的希望被这场无情的暴雨浇灭了。

你知道吗？

冷的时候身体会发抖，这是人体的一种自我防御，即通过活动肌肉来产生热量，以便升高体温。皮肤变得苍白，甚至发蓝，是大脑为了减少皮肤的热损失，把皮肤表层的血管几乎完全关闭的缘故，这时血液是通过离皮肤表面较远的下层血管来输送的。

人的头发每天大约会生长 0.2 ～ 0.4 毫米，每天都会掉几十根。毛发的寿命是 2 ～ 5 年，但是也有一些头发会生长 25 年，长到 2 米长。不同人种的头发颜色不一样，这是因为毛发里的黑色素含量不同。洗头以后头发会很散乱，是因为水汽会让头发发生膨胀，横向膨胀约 14%，竖向膨胀约 12%。毛发湿度计就是利用这个原理制造出来的。

无人岛的不眠之夜

鲁滨逊的身体开始迅速衰弱下去。起初只是没有胃口，连着几顿饭都没有吃。到了后来，就是想吃也吃不下去了。如果强迫自己吃下去，紧接着的就是剧烈的腹痛和严重的便秘。可怜的鲁滨逊现在脸色蜡黄，颧骨突出，脸上瘦得只剩下了一双眼睛。

头疼和失眠也接踵而至。不管怎么努力，就是睡不着，眼睛闭一会儿都不行。他已经连续好几天就这样瞪着两只眼睛了，有时候好不容易睡着了，过不了 10 分钟就会浑身冒着冷汗从噩梦中惊醒过来。身体像吸了水的棉花一样，沉沉的没有一点力气，那种痛苦简直无法用言语表达。

现在的鲁滨逊，每天的大部分时间都是躺着度过的。一方面是因为身体无力，站起来很困难，但更重要的一个原因在于，他根本什么事情都不想做。对于此时的鲁滨逊来说，能否恢复健康，能否离开无人岛，甚至能否活下去，好像都无所谓了。现在，他只有一个绝望的念头，就是赶快结束这所有的一切，干脆让他沉重的身体变成一块岩石算了。

必须有正常的睡眠才能健康成长

人为什么要睡觉呢？学者认为，白天的活动会让身体感到疲劳，使“睡眠诱导物质（sleep inducer）”增加，于是人就会想睡觉。疲劳和睡眠诱导物质达到最高值的时间一般是夜里11点～12点。

打瞌睡的另一个原因就是人体的生物钟。早上，太阳光照进眼睛，会刺激大脑里的觉醒中枢，一种叫褪黑激素的物质就会减少，人就会从睡眠中醒来。相反，到了晚上，阳光消失以后，睡眠中枢受到刺激，褪黑激素增加，人就会想睡觉。

睡眠状态分为眼球活动频繁的“快速动眼睡眠（Rapid Eye Movement）”和相反状态下的“非快速动眼睡眠（Non-rapid Eye Movement）”。非快速动眼睡眠的时候，心脏跳动频率和血压降低，呼吸减慢，肌肉松弛。相反，快速动眼睡眠的时候，血压与醒着的时候差不多，心脏的跳动和呼吸变得不均匀，只有肌肉极度松弛，接近麻痹状态。

非快速动眼睡眠可以根据脑波分成四个阶段，阶段越高，睡得就越熟。人睡着以后，首先进入非快速动眼状态，然后逐渐变成快速动眼状态。这种变化大约以90分钟为一个周期反复进行。非快速动眼睡眠的一、二阶段是非熟睡阶段，而三、四阶段和快速动眼睡眠则是熟睡阶段。一个晚上，这两种睡眠的交替大约会有四五次。

婴儿的睡眠大部分都是快速动眼睡眠，出生2～6个月以后，才开始有非快速动眼睡眠。有趣的是，在非快速动眼睡眠中睡得最深的第四阶段，是成长荷尔蒙分泌最多的时候。老话都说，“睡觉好的孩子长得快”，依据大概就在这里吧。与此不同，60岁以后，快速动眼睡眠时间逐渐减少，很难睡得很熟，反而白天经常会打瞌睡。常常听老人们说，“年纪越大觉越少”，其实就是夜里经常睡眠不足。

梦大部分是在快速动眼睡眠状态下发生的。有部分学者认为，快速动眼睡眠的时候，眼球活动频繁的原因就是要捕捉梦中出现的影像。也有人认为，快速动眼睡眠会冲洗大脑，把不需要的信息清除，这样就可以提高第二天的认知能力。到目前为止，关于快速动眼睡眠的准确功能还没有一个确定的说法。

睡着以后，有时会出现梦魇，这是怎么回事呢？对于这个问题，目前还没有定论，不过很清楚的一点就是，梦魇状态和快速动眼睡眠状态类似。如果在肌肉极度松弛、呼吸不均匀、意识模糊的快速动眼睡眠状态下做了噩梦，会感觉心脏受到压迫，身体僵硬麻痹。

像鲁滨逊这样心理紧张或者压力大的时候，就很容易患上失眠。与几天就会消失的暂时性失眠不同，严重的慢性失眠会持续几年时间，需要接受精神治疗。相反，忍不住总是打瞌睡的“嗜眠症”则是脑病的一种。

啊啊！眼睛看不见了

“呃哦……”

鲁滨逊一边呻吟着，一边撑起身体，慢慢地睁开眼睛。

他两眼一片模糊，眼睛里布满了血丝，就像没拍好的照片里的红眼睛一样。

“今天又是一夜没睡着……”

鲁滨逊叹了口气，忽然觉得周围好像有点不对劲，出奇地安静。一连下了半个月的雨，现在竟然一点声音都听不到了。

“难道雨停了？”

鲁滨逊使了使劲，挣扎着向窗外望去。阳光！从窗口射进来的真的是久违了的灿烂阳光。昨天还恨不得要翻天覆地的大海，现在却平静得像一面蓝色的镜子。海面上还有几只海鸥正在嬉戏玩耍。无人岛漫长的雨季终于结束了。可是——

“好奇怪啊……”

鲁滨逊忽然一脸狐疑地眨了眨眼睛。他觉得自己的视野好像忽然变窄了。一开始他还以为是突然看到阳光才这样的，眨了好几次眼睛后再睁开，大海还是像刚才那么窄。

“怎么回事呢？难道是因为没睡好？”

鲁滨逊摇了摇脑袋，试着闭上左边的眼睛，只用右眼看到的世界跟之前完全一样，这么说……鲁滨逊又迟疑地闭上右眼。

“看得见，当然看得见了……”

可是，事实却是什么也看不到。只用左眼看到的世界就像地狱一样，完全是一片黑暗。噢，天哪！鲁滨逊绝望地闭上双眼。

“我瞎了！我什么也看不见了……不可能，这根本不可能！”

鲁滨逊咬紧牙关。过了一会儿，他伸出手指轻轻按摩着自己的左眼。

“地狱也没什么不好，恶魔也好，什么都好，只要能让我看见就行……”

但是，眼前还是一片黑暗。再怎么难过也没用，现在他的左眼确实除了黑暗什么都看不到了。

“什么……都看不见了。”

鲁滨逊像精神失常似地自言自语着，双手无力地垂了下去，通过右眼看到的世界开始摇摆模糊起来。失去光明的左眼中也蓄满了滚烫的泪水。

“不可能，我的眼睛好好的呀！”

鲁滨逊擦了擦眼泪，站起身。

“因为身体衰弱才这样的，吃点东西就会好的。不，只要喝点水就肯定没事了……”

他疯了一样拿起水杯。可是这一次……

“哦？”

正咕噜咕噜喝水的鲁滨逊，忽然把手停在了半空。他觉得嗓子眼里好像有个什么东西似的。他使劲咳嗽了几声，还是觉得不对劲。那感觉就像有个大肉块堵在食道里。

“不会吧，连喝水也不行了……”

鲁滨逊伸手摩挲着自己的脖子，可是嗓子里那种沉重的感觉，竟然一点也无法用手感觉到。食道里好像长了个肉瘤，越来越大，以致每次呼吸的时候都可以感觉到。

“这到底是怎么了？我得了癌症吗？刚来无人岛的时候，视力还好着呢，没想到，现在竟然连瘤都长出来了……”

鲁滨逊一屁股坐在还没有干透的地上，把仅有的那条视线投向天空，愣愣地望着朵朵白云从眼前飘过。忽然，鲁滨逊的脸上露出了一丝绝望的笑容：

“得了癌又怎么样，反正我也已经熬不了多久了……”

在鲁滨逊似笑非笑的脸上，先前的斗志和勇气已经越来越依稀难辨了。

你知道吗？

眼睛能看到东西是因为光的刺激。通过角膜和虹膜进入眼球的光到达视网膜后，就会刺激视觉细胞，引起兴奋。这种兴奋会通过视神经传递到大脑，因为左右视神经是交叉的，所以，右侧眼球的兴奋会传递到左脑，而左侧眼球的兴奋则会传递到右脑。大脑把二者合并后，才能立体地建立一个整体的影像。

疲劳的时候眼睛充血，是因为眼睛的肌肉和神经感到疲劳，导致结膜肿大，血液量增加的缘故。照片中的“红眼现象”是眼睛将闪光灯的光再次反射到照相机的镜头上产生的。被反射的光因为眼睛里的血管颜色而带上了红色，所以照片中的眼珠也变成了红色。即使是蓝眼睛的西方人，也会出现红眼现象。

精神痛苦也会导致身体痛苦

常常会有一些学生，平时身体都很好，但一到了考试的时候，就会出现头痛和腹痛。可是去医院检查并没有什么异常，吃药也没有用。从表面看，这好像是一种怪病，但对于当事者来说，可绝对不是怪病那么简单。这种由于紧张、忧郁和压力等心理原因而产生的症状叫“神经障碍”。

神经障碍与自律神经系统有一定的关系。自律神经系统分为交感神经系统和副交感神经系统，是人体的重要器官，会对眼球、心脏、血管、汗腺、胃、呼吸道、膀胱等产生影响。大脑皮层感觉到紧张以后，就会通过视床下部把它传达到自律神经系统，致使自律神经系统紊乱，引起各种身体障碍。

交感神经系统兴奋会刺激肾上腺素分泌，使得从肝中流出的糖分增加，同时还会使血压升高、脉搏加快。通过消化道的血液量一旦减少，就会肚子疼，头疼、失眠、抑郁症也会随之而来，严重时还会出现失明或者手脚麻痹。像鲁滨逊这样，产生脖子里长瘤的感觉也是神经障碍的一种。

在现代医学中，治疗神经障碍的神经医学还很落后，没有什么有效的治疗方法，所以最好的方法还是主要依靠患者的自我治疗。健康的身体需要有健全的精神，同样，只有精神健康了，身体才会跟着健康起来。

站起来，滨逊

“站起来，滨逊……”

“谁呀，我是在做梦吗？好像有人在跟我说话，听不清楚，可能是风声吧。无人岛上怎么会有这么亲切的声音呢？”

“站起来，滨逊……”

“啊！这个声音？没错，这是妈妈的声音！”

鲁滨逊努力想睁开眼睛，可是他的眼皮就像灌了铅一样，怎么使劲也睁不开。

“睁开，一定要把眼睛睁开，这样就可以看见妈妈了……”

“站起来，滨逊……”

终于！眼睛终于睁开了！眼前有一个模糊的身影，看不清楚，像藏在雾中一样。可是那头发，那圆圆的脸庞，就是日夜思念的妈妈呀！这就是梦中看到的妈妈呀！鲁滨逊眨着疲倦的眼睛，使出吃奶的力气才能说出话来。

“妈妈……你怎么会在这儿？”

这时，鲁滨逊的耳边响起了炸雷一样的声音：

“滨逊，你这个臭小子！耳朵是用来干什么的？我都已经说了三遍了！”

已经30分钟了，从鲁滨逊开始挨训算起，已经过去30分钟了。妈妈好像是气急了才跑来的，一见到他，就开始不停地数落他的种种不是。

“我是不是跟你说，先学习，以后再去背包旅行？”

“是。”

“那我是不是说，就算去背包旅行，也不要去太远的地方？”

“是。”

“那我是不是说，就算去远的地方，也不要那天出发，要挑个吉日再走？”

“是。”

“那我是不是说，就算那天出发，也不要坐头班飞机，要吃完早饭以后再走？”

“是。”

“那我是不是说，就算坐头班飞机，也不要坐外国飞机，而要坐韩国航空公司的飞机？”

“是。”

“你到底像谁呀，这么不听话！你哪怕照妈妈说的做了一条，也不会变成现在这个样子呀！”

“我错了。”

“这些我都不说你。我问你，火种怎么灭了？”

“我一直好好看着的，两个月了都没事……”

“行了，都是废话！过去的老奶奶出嫁时的火种会收藏一辈子，再一代代传下去。以前没电灯的时候，妈妈也从来没把火种弄灭过。”

“我错了。”

“过去的就不说了，你最让我生气的还不是这些。难道你不知道，男子汉大丈夫不管多困难都不能放弃希望？才三个月不到，你就受不了了？你这样也算我们鲁家的长孙吗？真是太丢人了！”

“我错了。”

“唉，你太让妈妈失望了。除了认错，你就不会说别的了吗？”

“……我错了。”

“家里人都好吗？爸爸好吗？弟弟妹妹呢？”

“臭小子，问点该问的好不好？你弄成这样，你说家里人会好吗？”

也是，家里人怎么会好呢！鲁滨逊因为飞机失事失踪，家里人怎么能安心呢？现在在韩国，别人一定以为他已经死了呢。

鲁滨逊想到了家里的亲人，眼泪不由得扑簌簌地掉了下来。看着鲁滨逊的样子，妈妈的眼睛也湿润了。

“妈妈，你们等着我，我一定会回去的。”

“好孩子，别老想那些没用的事情，要尽快把身体养好。身体这个样子，还要回去，你要回哪儿？”

“哪儿？当然是回家了。”

“说得倒容易。这茫茫大海，你想飞过去吗？”

“可是，难道我要永远待在这儿吗？没有我，妈妈你还活得下去吗？”

“你要是真的心疼妈妈，就先把身体养好，然后等着救援。要是这么冒冒失失地跑到海上去，万一出了什么事情，可怎么办？对妈妈来说，只要你平平安安地活着就好。”

“……”

“你一定会再站起来的，别的不说，也不看看是谁的孩子。困难的时候想想妈妈，就能熬过去了。我们一定会再见面的。”

“知道了。”

“好了，那妈妈就走了。”

“妈妈，等等。”

“怎么了？我很忙的，还要快点回去给你的弟弟妹妹们准备午饭呢。”

“那个……末淑，末淑她好吗？”

“好着呢。听说从你上飞机那天开始，她就天天忙着约会。”

“什么？”末淑竟然不管我去和别人约会？！妈妈下面的话给了鲁滨逊一个更大的打击。

“最近好像和一个叫什么灿逊的特别亲热。连名字都跟你差不多，你满意了吧？”呃呃……鲁滨逊的眉毛皱成了一团。妈妈望着鲁滨逊这副样子，开始慢慢向后退，最后消失在云雾之中。妈妈凝视他时滴下的泪水，落在地上，就像一滴滴晶莹的露珠。

重新站起来的鲁滨逊

从梦中醒来的鲁滨逊又闭上了眼睛，仔细回味着梦里的情景。妈妈教训自己的声音，为了多看自己一眼而不忍离去的情景，还有妈妈露珠般的泪水。

“妈妈说得对，我一定能站起来！这么点小事算什么，也不看看我是谁的儿子……”

鲁滨逊攥紧了拳头。现在，他有了再次站起来的动力。为了期盼自己平安归来的家人，还为了证实末淑是不是真的变了心，鲁滨逊决心一定要等到获救的那一天。

火又点起来了，用来求救的火堆也点了起来。鲁滨逊跑到河边，取来干净的水开始打扫茅屋，把那些颓丧、绝望都一扫而光。虽然腿还是没什么力气，不过他的眼睛里又开始闪烁着以前的光彩。享受着无人岛上灿烂的阳光，鲁滨逊心中的希望之火又熊熊燃烧起来。

“1、2、3、4，呼——”

鲁滨逊张开拳头，同时深呼吸，然后再攥住拳头，开始数数。

“1、2、3、4、5……”

原来他正在活动手部肌肉。这是为了松弛因为压力而僵直的肌肉。要领很简单。坐或躺在平坦的地面上，充分放松，舒缓心情。然后让身体的某个部位用力5秒钟，然后放松，这样反复3次。先是手，接下来是胳膊，然后是脚和腿，还有后背和身体，最后是脸和头。用力的时候要深呼吸，而松弛的时候则要充分放松。

鲁滨逊坚持每天早晚都做这个运动。为了恢复精神健康，他一有空就想一些高兴的事情：第一次忐忑不安地和末淑见面，和末淑一同度过的时光，毕业典礼上作为代表在全校同学面前接受全勤奖，考上大学后的庆祝晚会，还有出发去旅行时的激动……

这个方法可并不容易。因为在回忆那些高兴的事情时，总会突然冒出一些不好的事来。比如，和末淑吵架；在漫长的学生时代只得过这么一个全勤奖，别的什么都没得过；在庆祝晚会上做游戏扭到了腰；最糟糕的是，连飞机失事时的恐怖情景也总是跑到脑海里来。

每当这种时候，鲁滨逊就会使劲摇晃脑袋，想把那些不愉快的记忆都赶出去。他常常会想象离开无人岛后，回到韩国和家人团聚时的情景，还有和末淑重逢后的甜蜜场面。

每到这种时候，鲁滨逊的嘴角总会挂上甜甜的笑容，有时候连眼睛也会笑成一道弯弯的月牙。

唯一想象失败的事情就是领奖的场面。他希望能想象一下大学毕业时获得优等生奖的场面，可是不管怎么努力，都想象不出来。想象一次，失败一次，想象一次，失败一次，最后，鲁滨逊舔着嘴唇，无奈地说：“看来，这不是想象，根本就是妄想。”

除了想象，鲁滨逊还养成了一个新习惯，就是肯定地评价自己。不想自己的缺点和毛病，只想长处。因为他觉得，如果想熬到离开无人岛的那一天，必须绝对信任自己……这也是鲁滨逊从绝望中领悟到的宝贵教训。

“我电子游戏打得很好，还很会跑步，吃饭吃得多，觉也睡得好，还有……我还有什么干得好呢……”

鲁滨逊努力寻找着自己的优点。

“说瞎话说得不错，可这也算不上什么优点呀……还有什么呢？”

皱着眉头琢磨了半天，终于，鲁滨逊一拍大腿，说：

“有了！我放屁很响。”

鲁滨逊终于又慢慢恢复了生气。腹痛和头痛减轻了许多，失眠也有了好转。鲁滨逊的生活又开始充满活力。当然，食欲也像以前一样好了，甚至吃得肚子都鼓了起来。嗓子里那种沉重的感觉也消失了。

最让他高兴的是，视力也恢复正常了。

内心的绝望消失的同时，左眼中的黑暗也跟着消失得无影无踪了。这时，鲁滨逊才真切地认识到，用两只眼睛看到的世界是多么美丽。

傍晚，一轮红日悬挂在海平面上。

鲁滨逊望着绚丽的晚霞，又想起了妈妈，想起了妈妈那露珠般的泪水。

妈妈的眼泪，这才是世界上最伟大的东西。只要一滴，就可以让自己重新点燃希望，就可以把暴雨中的绝望清除干净。就算把地球上所有的海水集中起来，也不及妈妈的一滴眼泪珍贵，鲁滨逊这样想着。

幸运与不幸的差异对照表

“虽然模仿老鲁滨逊很丢人，可还是要做点什么。”

一想到老鲁滨逊那种讥笑的神情，鲁滨逊的脸忽然又绷得紧紧的。可是，还是应该按照他说的去做。看来，所有的教育都是从模仿开始的。

“其实这也不完全是模仿，应该说是一种创造性的模仿。这有什么，现在的作家不都是这样吗？那些企业家不也是参考着别人的成功经验才发家的吗？我不过是做一件和老鲁滨逊当初做的差不多的事情而已，我看谁敢说我什么。”

鲁滨逊到底想干什么呢？还要经过这么激烈的思想斗争。

原来，他准备制作一个无人岛的差异对照表。也就是把他目前处境中幸运的和不幸的事情一一列下来，然后做成一张表。这本来是老鲁滨逊漂流到荒岛一年半以后，为了检查自己的生活而使用的方法。

“现在，我也有必要回顾一下过去的日子，还要整理一下现在的状况。只有这样，才能有一个真正的新开始。”

鲁滨逊在茅屋旁清理出一片干净的土地，然后拿起树枝。虽然只有土地笔记本和树枝笔，鲁滨逊却还是一丝不苟。

他先平定心神，仔细思考了一会儿。

“我一定要毫无保留地、坦率地写下我现在的心情。”

鲁滨逊开始慢慢动起手来。

鲁滨逊停下手里的笔，不，应该是手里的树枝。他看着自己写下的这些，点了点头。

没想到，在看不到前途的孤独和绝望中，竟然还隐藏着这么多希望……

“老鲁滨逊说得对，‘即便处境极为不妙，我们总能从中找到某些聊以慰藉之处。’说得多好啊！”鲁滨逊忽然想起老早之前读过的《鲁滨逊漂流记》中的内容，“正因为有这样的信念，他才能在荒岛生活28年。其实他还是有很多东西值得我学习的……不行，不能这么说。俗话说，白天说的话鸟会听见，晚上说的话老鼠会听见，万一被老鲁滨逊那家伙听到了，他该更得意了。”

鲁滨逊生怕自己说的话被老鲁滨逊听到，急忙闭上嘴巴。过了一会儿，他又放声朗读了一遍脚下的字：

“是胜利……”

无人岛上的幸运和不幸的差异对照表最终得到的结果是胜利，而不是失败。

希望取得了胜利。

绝望的事情	幸运的事情
我一个人流落到无人岛上，像原始人一样过着风餐露宿的生活，全世界估计只有我是这样生活的。	但是，我比飞机上其他乘客都幸运，我保住了性命。我是一个得到老天保护的幸运儿，老天既然能显灵让我免遭一死，那么也能救我脱离目前的困境。
我没有充足的食物，没有安全的房子。为了活下去，每天都要努力劳动。	但是，我能够找到淡水和食物，而且现在有了一些储备。与那些在沙漠或沼泽中饿死的人比起来，我还是相当幸运的。
我没有武器，没有力量抵挡野兽的袭击。	但是，在无人岛上生活的这些日子里，我还从没遇到过能伤害我的动物。
我很想妈妈。现在，只有妈妈的眼泪守护着我。	但是，我能在梦中见到妈妈。而且，多亏妈妈的鼓励，我才能战胜绝望，重新站起来。以后，妈妈也将是我最有力的精神支柱。
我很想末淑。说不定末淑现在已经忘了我，正在和别人交往。	但是，我对末淑更加信任了。她一定会等着我回去的。不管怎么说，除了我，没有人能够忍受末淑。
我很想离开这里，可是又没有办法，而且，获救的希望很渺茫。	但是，我最终一定能离开这里。因为我有爱我的家人，有末淑，最重要的是，还有等待着我的美好人生。

神奇的草药——龙舌兰

“哎呀！”鲁滨逊一边叫一边握住手。手指间已经流出了殷红的血。原来鲁滨逊在用刀修竹子的时候，不小心割破了手指。

鲁滨逊蹙着眉，望着手上的伤口。此时，左手食指像鱼鳃一样张开了，正淌着鲜血。这要是在家里，涂上消毒药和软膏，再缠上纱布，马上就没事了，可现在在无人岛上，怎么可能有这些东西呢。目前，鲁滨逊才刚刚进入石器文明的初级阶段呀。

鲁滨逊先弯曲着手指止血，然后从内衣上撕下一片布，代替纱布把伤口包住。可是伤口很深，只靠这个怕是止不住血的。果然，裹着手指的布片很快就被渗出来的血染红了。

“完了，必须赶快止血才行……”

鲁滨逊定了定神，心想，既然不可能有药，那就想点别的止血方法吧。石器时代的人要是在打仗或者打猎时受了伤，会怎么治疗呢？去请巫师？还是煮恐龙的骨头吃……低头冥思苦想了半天，鲁滨逊忽然抬起头，眼睛里充满了许久未见的智慧的光辉。

“草药！”

鲁滨逊顾不上还滴滴答答地流着血的手指，飞快地向树林里跑去。他要赶快去找可以止血的草药。当然，他并没有什么关于草药的专业知识，不过他知道一点，那就是，龙舌兰对修复皮肤上的伤口很有好处。这是去年夏天他去银行里吹空调时，偶然听旁边人说起的。

更幸运的是，他还知道龙舌兰长什么样子。因为上高中的时候，有一次末淑为了治青春痘，在脸上贴了几片龙舌兰的叶子，当时他还笑话过末淑，所以记得很清楚。

“连那么坑坑洼洼的脸都能变得光滑起来，末淑真是人类胜利的标志啊……”

在血流满一碗之前，鲁滨逊终于在树林的一个角落里找到了龙舌兰。他把龙舌兰叶子的表皮剥掉，挤出一些黏稠的液体。这就是末淑用来治疗青春痘的神奇的龙舌兰液。

“会有止血效果吗？”

鲁滨逊正准备把龙舌兰的叶子切开，敷在伤口上时，忽然又停住了。

他的脑海里响起妈妈的教导。小时候，被蚊子叮了以后，鲁滨逊一挠被叮的地方，妈妈就会说：“滨逊，不要挠！往上面抹点唾沫，抹唾沫是最好的方法。听到没有，不是让你别挠吗，不听话？”

是用龙舌兰液呢，还是用唾沫？鲁滨逊考虑了一下，为了公平起见，他决定把两样混合在一起。于是，他把龙舌兰的叶子放到嘴里，来回嚼着。

“要是再有点大酱，就可以放到一起……”

他把龙舌兰液和唾沫混合在一起小心地敷在伤口上，清凉的感觉和火辣辣的疼痛立刻一起袭来。鲁滨逊再次把伤口用布片包好，然后拔了三四棵龙舌兰带回茅屋，准备作为在岛上生活的常备药品。

神奇的药水——尿

鲁滨逊使出全身的力气，奋力向前跑着，卡尔·刘易斯和本·约翰逊大概也就是这个速度吧，说不定还没有鲁滨逊的速度快，因为他们身后没追着一群嗡嗡叫的蜜蜂。

“啊——救命啊！”鲁滨逊的喊声在树林里回荡着。这就叫偷鸡不成蚀把米，本来他想弄点蜂蜜吃，没想到碰掉了蜂窝。他看到周围没有蜜蜂，以为是个空蜂窝，可原来大队蜜蜂都藏在里面呢。开始只有一只，到后来无数的蜜蜂像团黑云似的压上来。看来蜂蜜可真不是容易吃的。

被蜂群围攻的鲁滨逊，眼睛也不敢睁大，跌跌撞撞地跑到了河边。水！鲁滨逊早就顾不上那么多了，二话没说跳到了河里。他想，这些蜜蜂总不会追到水里来蜇我吧。

过了一会儿，鲁滨逊实在憋不住气了，小心翼翼地把半张脸露出水面。本来薄薄的嘴唇，不知什么时候厚了好几倍。

“这儿也肿了，还有这儿……呃呃，到底肿了多少地方呀？”鲁滨逊一边呻吟，一边数着被蜇肿的地方，胳膊、肩膀、胸口、肚子、腿、屁股，甚至连脚底都肿起了一个大包。除了嘴唇比原来厚了三四倍，脸还算平安无事，这也是不幸中的大幸了。

被蜜蜂蜇到可不是闹着玩的，蜂毒会让身体红肿起来，还会感觉又疼又痒。即使这样，也不能随便挠，这么闷热的天气，万一伤口发炎，可就真的没救了。

鲁滨逊一边强忍着身上的痛痒，一边涂抹龙舌兰液。说龙舌兰是神奇草药的那些人，一定没用它来治过蜂毒。而且，这是被蜜蜂蜇的，不像让蚊子叮的抹点唾沫就没事了。看来，要想去除蜂毒，还得另想办法。

“要是有氨水就好了……”摸着两片厚厚的嘴唇，鲁滨逊自言自语地说。忽然，他把嘴闭上了。等等！氨水？氨水……鲁滨逊噌的一下站起来。

“有了！”

“嘘，嘘嘘——”鲁滨逊像哄小孩撒尿似的，嘴里发出嘘嘘声。他的面前放了两个桶，一个是水桶，另一个是尿盆。

“快出来呀，像瀑布一样哗哗地流吧，嘘嘘——”鲁滨逊珍惜地一口口喝着水桶里的水，然后又郑重地站到尿盆前，轻屈双腿，嘟起厚厚的嘴唇：“嘘——出来了！总算出来了！”

鲁滨逊终于有了能代替氨水的尿。他小心地用尿涂抹着身上的大包。这就是能够清除蜂毒的神奇药水——尿。

水桶里的水一点点减少，尿盆里的尿则越来越多。虽然投入和产出不完全相等，但鲁滨逊已经很满足了。反正再过一会儿，剩下的原料也会得到输出的。鲁滨逊脱下身上的衣服，然后卷起一块布片代替纱布，浸到尿盆里。虽然味道很刺鼻，不过只要当作是药水的味道，心里就舒坦多了。

他小心地把布片浸湿后，轻轻擦着身上被蜇的地方，生怕浪费了一滴，这可是些好不容易才得来的珍贵药水呀。正擦着，鲁滨逊好像忽然想到了什么，说：

“早知道有今天，把以前的存起来就好了。”

生长在树林和草原的绿色药品

植物是人类历史中使用时间最长的药品。在很早以前，如果身体某个部位不舒服，人们就会用与这个部位形状差不多的植物来进行治疗。比如，用圆形的叶子治疗肝病，用心形的叶子治疗心脏病，还有用长得像脑髓一样弯弯曲曲的坚果类来治疗头痛。

随着时间的推进，人们积累的经验越来越多，逐渐开始知道哪些植物真的具有药效。从金鸡纳树皮中提取的疟疾治疗剂——奎宁，就是受到南美土著人的启发后发现的，因为当地人用这种树皮煮的水来治疗疟疾。如果没有北美土著用柳树皮煮的水来治疗关节炎的传统方法，科学家们就无法在柳树皮中发现阿司匹林的重要成分——水杨酸。

到了今天，仍然有相当多的新药品是以植物为原料研制成的。科学家们观察世界各地土著居民治疗伤口和疾病时使用的植物，然后再对这些植物的成分进行分析。到目前为止，在地球上存在的35万种植物中，被进行过药效试验的植物仅有10%。

东方医学比西方医学更加重视植物的重要性。很早以前，我们的祖先就开始把草原上的野生植物用在医疗上。

下面就是我们经常可以在身边看到的药用植物。

- 白花蒲公英：可以清热、解毒、提神，对食欲不振也有一定的疗效。被毒虫叮咬以后，可以挤一些白花蒲公英的汁外敷。生嚼它的叶子有益于治疗胃溃疡和慢性胃炎。
- 蒲公英：晒干后煎服，可以清热，对气滞、浮肿和消化不良也有一定好处，可以促进胆汁分泌，利于排便。
- 大蓟：受伤的时候，敷一些捣碎后的叶子有止血效果。
- 艾草：春天采下，在阴凉处晾干后煎服，可以治疗腹痛、腰痛、气喘、气滞等。用纱布包好放在洗澡水中，可以缓解腰和膝盖的疼痛，消除瘀青。
- 白桔梗：主要成分是皂角苷，可以祛痰止咳。
- 车前子：夏天采下，在阴凉处晾干后煎服，对咳嗽、气喘、百日咳、胃病、腹泻和头痛都有一定疗效。
- 水芹：血压升高或者发烧的时候，可以服用一些水芹汁。把挤出的汁液用开水冲服，对治疗黄疸有一定疗效。

SOS!
SO
So what?
Stage5 获颁无人岛荣誉居民
出海寻找
新希望
鲁滨逊坐在海边，望眼欲穿，
可每次等来的都是无尽的失望，
终于，他决心用自己的力量改变命运，
乘上竹筏驶向“新大陆”……
S·O·S

不知不觉过去了3个月

今天海上依然空无一物。看来，一直盼着再出现一条船的鲁滨逊，又要希望落空了。说不定上次看见的那条船是偏离了正常航线，要么就是艘海盗船或者走私船之类的。真是这样的话，再怎么等也不会有船经过了。鲁滨逊一脸沮丧地站起身。天已经快黑了，远处的海面已经看不清楚了。

"就算没有船经过，也许会有飞机呢……"

可是，飞机飞经无人岛上空的可能性也十分渺茫。船好歹还看见过那么一次，可飞机根本就连个影子也没见着。

回到茅屋后，鲁滨逊走到一根柱子旁，数了数上面用刀刻的"正"字，从来到这里起，每天刻一画，不知不觉都已经超过 17 个字了。一个字代表 5 天，17 个 5 天就是 85 天，从鲁滨逊飞机失事流落到无人岛到今天，已经快 3 个月了。

"再过几天就是 100 天了，是不是应该摆个百日宴呢……"

鲁滨逊叹了口气，又在柱子上刻下了一道。

这是无人岛上的第 86 天，此时，正是日落时分。

海上出现海市蜃楼

嘶——鲁滨逊抬起手，擦了擦嘴角，然后忽然皱皱眉，睁开了眼睛。嘴边和手上还沾着一些透明的黏稠液体。

“啊，这是什么？难道是口水？我现在都成什么了，竟然一边睡觉一边流口水。”鲁滨逊用舌头舔了舔，又举起手把嘴边的口水擦干净，然后把手放在山坡上的沙子里搓了搓。

竟然在无人岛的山坡上流着口水睡觉，鲁滨逊很庆幸没有让末淑看到他现在这副样子。他伸了个懒腰，站起身。白天的太阳把海水和沙子晒得很热，已经有点躺不住了。

就在这时，鲁滨逊的眼睛忽然瞪得老大。远处的海面上好像有什么东西，不像鸟，也不是飞机，难道是UFO？鲁滨逊盯着看了一会儿，忽然大叫起来：“这是，是……是船！”

真的是船吗？可船怎么会浮在空中，而且还是倒着的，就像《银河铁道999》里的宇宙飞船。

鲁滨逊简直不敢相信自己看到的一切，茫然地凝视着空中。但是不管他再怎么眨动眼睛，再怎么张望，看到的还是一条颠倒的船，既不是海盗船，也不是幽灵船，而是照片上经常看到的那种大型货轮。

“呃呃呃……”鲁滨逊使劲晃了晃脑袋，“这到底是怎么回事呀？难道是我还没睡醒？”

“1，2，3……8，9……”

鲁滨逊闭上眼睛开始数数，他准备数到10以后再睁开。他想，万一自己看到的是幻觉，那么这么长时间之后也会消失的。

可要是再睁开眼睛后还能看到船呢？那到底是怎么回事呢？鲁滨逊心里开始发慌，越来越紧张。他心想，如果看不见就罢了，万一还能看见，那么不是这个世界有毛病就是自己有毛病。不过不管怎么说，好像总是自己有问题的可能性大一些。

“9.5，9.6……10。”

不管了！鲁滨逊深吸一口气，睁开了眼睛。他鼓足勇气，把目光投向刚才出现船的空中，然后松了一口气似地说：“我就说嘛，果然没有了。”空空荡荡的空中没有了船的影子，只剩下呼呼的海风。海风把鲁滨逊的头发吹了起来，好久没剪，已经很长了。

这天，一直到深夜，鲁滨逊还在想白天看到的那艘船。幽灵船？幻觉？ UFO？可是，就算是如此热爱漫画的鲁滨逊，也实在无法相信这种只可能发生在漫画中的事情。

“这个也不是，那个也不是，到底是什么东西呢？”

经过冥思苦想，反复推理，终于找到答案的时候，天空已经微微发白了，鲁滨逊总结性地说了一句：“那是海市蜃楼。”

海平线那边有东西

早上，鲁滨逊连饭都忘了吃，一直蜷缩在山坡上想心事。他的脚下有用手指乱涂的一些图画。这是他根据依稀记得的从漫画中看到的海市蜃楼的原理，胡乱画出来的。

“海市蜃楼虽然只是一种幻象，但并不是无缘无故发生的。一定是哪里真的有船经过，我才会在这里看到船的幻景。也就是说，海的那边一定有船经过……”

说得不错。鲁滨逊现在思考的并不是海市蜃楼这种幻象，而是制造出这种幻象的实际情况。

从鲁滨逊所站的山坡上，当然是看不见海平线那边经过的船的，但是可以看到船的海市蜃楼。

如果在看不见的海那边真的有船经过的话，那么这件事对鲁滨逊来说，可真是喜忧参半。喜的是，不远的地方有船经过，那自己被搭救就有希望了；忧的是，现在鲁滨逊无法看到那条船，那条船当然也看不见鲁滨逊，这一点又让人很绝望。鲁滨逊凝视着遥远的海面，喃喃地说：

“要是能到海平线那儿看看就好了……”

这一天，鲁滨逊一直在山坡上坐着，遥望着海市蜃楼出现过的地方。这一次，他期望看到的不是海市蜃楼，而是一艘真正的船。可是，船的蜃景再也看不见了，就这样，不知不觉一天过去了。

晚上，鲁滨逊慢慢地从地上站起来，整整坐了一天没有动弹，此时他觉得膝盖和脚腕一阵阵酸疼。

“该死的海市蜃楼！既然根本看不见真船，干吗还让我看见，这不是折磨人吗？”鲁滨逊嘟囔着，无意中又看了一眼大海，忽然，他停住了脚步。他的眼睛就像发现海市蜃楼时一样，又亮了起来。

“那是什么？”

他视线到达的地方是水平面上的天空。天空中有一块地方看上去白蒙蒙的，和其他地方不太一样，就像遥望有夜间比赛的棒球场的上空景象一样。

他已经在山坡上住了两个多月，可这种景象还是头一次看见。因为以前天一黑，他就直接回茅屋去了。

“是灯光吗？还是云或者雾什么的？”

说它是灯光吧，可是又不太像。不过，鲁滨逊还是宁愿相信那就是灯光。如果那真是灯光的话，就有两种可能，要么是海平线那边是有人生活的陆地，要么就是有开着灯的船只经过。忽然，鲁滨逊的心激动得咚咚跳起来。

“说不定不远的地方就住着人……”

这一夜，鲁滨逊又像前一夜一样彻夜未眠，整整一夜他都被激动和紧张纠缠着。

早上太阳一出来，鲁滨逊就跑到了山坡上。海市蜃楼，还有那片白蒙蒙的天空，已经让鲁滨逊忘了吃，忘了睡。他像一尊石像一样，目光一直舍不得离开海平线。

但是，大海依然像平常一样宁静。一个小时，两个小时，三个小时……时间一点点地流逝着，鲁滨逊的眼皮开始发沉。

茫茫的大海上只有水鸟飞过。它们从无人岛的海边飞过来，然后消失在海平线的那一边。

“你们多好呀，能看见海那边到底有什么。要是你们能把看到的告诉我，我就不抓你们来吃了……”看着变得越来越小的水鸟，鲁滨逊自言自语地说着。忽然，他抬起头来，刚才的睡意消失得无影无踪。

“这些鸟儿为什么总向那边飞呢？”

鸟儿为什么会飞呢？当然是因为有翅膀。但是，为什么只向同一个方向飞呢？喜欢这条路？不认识别的路？可是鸟儿又不是飞机，不用遵循固定的航线，那么……鲁滨逊忽然站了起来，兴奋地大叫：

“因为有陆地！一定是的！”

这可是一个重要的发现。其实，鸟儿们也需要能够停下来休息一下的陆地，不可能一整天都在空中飞翔。鸟儿们总向海平线那边飞，不就说明那边有可以让它们落下来的地方吗？陆地也好，岛屿也好，或者是和这里一样的无人岛，反正肯定会有片陆地。

现在，鲁滨逊对自己的想法更加肯定了。海市蜃楼，白蒙蒙的灯光，还有鸟群的移动，有了这三点，就可以清楚地证明一个事实，那就是有陆地——在看不见的海平线的那一边，有生活着人群的陆地。一定不会错的。现在只有一个问题，那就是横在他们和鲁滨逊之间的大海。

“如果大海是陆地的话……”唉，现在可不是吟诗的时候。如果海平线那边真的有陆地，想尽一切办法也要去。没法走过去，那就飞过去，要不干脆游过去。鲁滨逊攥紧拳头，下定了决心：

“我要做一个木筏，那样的话，就可以出海了。这是唯一的方法。既然那片陆地不会跑到这里来，那就只有我过去了。既然他们看不到我，那我就去看他们好了。管他是食人族，还是政府军，就算是外星人，只要能让我看见人就行……”

鲁滨逊站直身体，迎着海风深吸了一口气，满怀希望地凝视着远方。

你知道吗？

在欧洲人发现新大陆之前，航海家们都是利用鸟儿来寻找陆地的。如果鸟儿飞向天空后没有返回，就说明它们找到了栖息的陆地，人们就会朝那个方向调整船头。据推测，古代波利尼西亚人之所以能定居在太平洋中的小岛上，也是托了鸟类的福。在《圣经·旧约》中“挪亚方舟”故事里，为了知道洪水有没有退，也是放飞了一只鸟去查看。

制作木筏

要想制作木筏，必须先选择好木材。虽然鲁滨逊想用又粗又结实的直木做个木筏，可是实在没办法搬运。要是有一条大河的话，就可以把木头放到河里，顺着水流运到下游，可是树林里的河流都是又窄又浅的。他甚至都想，要不干脆做条树叶船算了。

考虑了许久，最后鲁滨逊决定用竹子来代替直木。因为他想起以前在漫画书中看过的场面：武士们乘着竹筏，逆流而上。竹子比较轻，搬运起来很方便，而且很结实，经得住海里的大风大浪，是很不错的材料。

树林里有很多又粗又高的竹子。鲁滨逊挑选了一些看上去最结实的，用石斧砍下来，搬到海边。竹筏的左右边缘用比较短的竹子，中间部分则选用长竹子，使整体造型接近于流线型。这样做是为了最大限度减小海水的阻力。

大致形状有了以后，鲁滨逊又选了一些柔韧的藤蔓，在竹子上绕了好几层，把竹筏绑得结结实实。在船的正中央，他还插了两根 10 米左右的又粗又直的竹子，做成桅杆。然后，他又绑了一些又长又宽的树叶，做成帆。

这种树叶帆虽然遇到大风会被吹跑，不过，较小的风还是可以抵挡一阵子的。

鲁滨逊砍了几十根竹子，然后搬运、捆绑，最后，一个宽敞而结实的竹筏完成了。只要不刮台风，划到海上肯定既不会翻，也不会损坏。鲁滨逊满意地望着自己亲手制作的竹筏。

“这么大，在上面踢场球赛估计都没什么问题。”

但是，竹筏虽然制作完成了，可并不能马上出海。因为如果遇到海风或者海潮，现在的竹筏根本无法调整方向。万一到不了陆地，就会成为海上的迷途羔羊。在无人岛上还能勉强过日子，要是到了茫茫大海上，以这么一条小竹筏当家，无论如何也活不下去。

“就算没有操纵杆，至少也得有根桨呀。”

鲁滨逊砍了一根比较粗的竹子，然后把它竖着劈开，准备做一根又长又扁的桨。因为工具只有石斧和石刀，所以做桨比绑竹筏还要困难。

鲁滨逊花了几天的工夫，才把两根桨制作完成，而堆在他身边的那些制作失败的废桨，足足有十几根。

终于，所有的航海准备都完成了。现在，只要挑一个天气好的日子，就可以划着竹筏出海了。虽然前方会有很多危险，但是总比在这里坐以待毙强，至少也要确定一下这附近是不是真的有陆地。

“马上我就要乘着竹筏，到海平线的那边去了。”

鲁滨逊抱膝坐在竹筏上，仰望着美丽的天空，眼睛里充满了期待和希望。海平线那边，今天的晚霞似乎格外清晰。

关于海市蜃楼

可以很清楚地看见，但实际却并不存在，这就是海市蜃楼的特点。这种在沙漠或者海上迷惑人眼的海市蜃楼是由于光的折射产生的。由于空气的温度差异和密度差异，使得光出现折射，就会在空中形成一种幻象。

空气的温度和密度成反比。温度高的话，空气膨胀，密度就会降低。而如果温度低的话，空气收缩，密度就会增大。在密

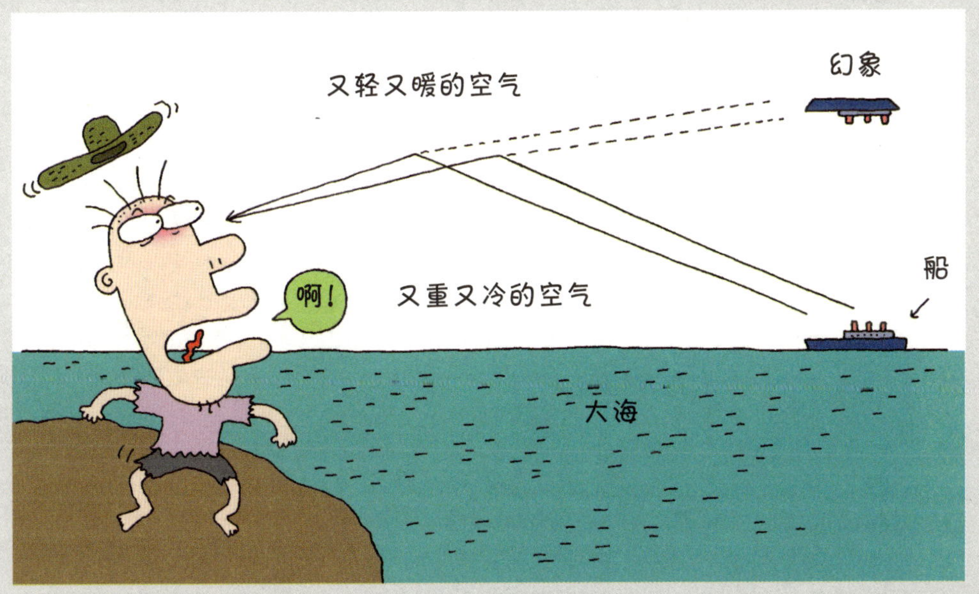

海市蜃楼的原理

度不同的空气的分界面上，会发生光的折射现象，密度差异越大，折射角度越大。

白天在海上，接近水面的冷空气比高处的热空气的密度大。因此，船反射的光就会在冷空气和热空气的分界面上发生折射，在特定情况下，就会发生“全反射”。所谓全反射，就是光以特定的角度从密度高的物质向密度低的物质中传播时，无法进入密度低的物质，而完全被反射的现象。全反射的光如果进入人的眼睛，就会看到好像倒挂在空中的情景。鲁滨逊看到的船的海市蜃楼就属于这种情况。

与此相反，在沙漠中，接近地面的空气温度高。所以远处的景色反射的光在到达地面之前，会发生严重的折射，照射到完全不同的另一个地方。夏天，热沥青上的汽车或者树看上去好像浮在水面上，也是这个原理。

1798年，拿破仑率军远征埃及时就曾被奇妙的海市蜃楼吓得魂飞魄散，本来看得清清楚楚的湖水突然消失了。数学家G.蒙基最早发现了这种现象是由于沙漠的热空气层引起的。在科学面前，看上去那么神奇的海市蜃楼，完全失去了神秘的光环，而只是一种自然现象而已。

学习天气预测法

“啊，雨声？”

正在屋里准备航海用的食物和水的鲁滨逊，忽然站了起来，跑出茅屋。早上还是艳阳高照，这会儿却突然下起雨来。

“看来今天是走不了了。”鲁滨逊失望地叹着气，自言自语地说，“那就明天出发，不就晚一天吗？”

第二天虽然没有下雨，可是天空阴沉沉的，是个没有一丝风的闷热天气。鲁滨逊又检查了一遍准备好的东西，之后就划着竹筏出了海。辛苦制作的竹筏好像要报答主人似的，顺利地滑向了海面。

一离开岸边，竹筏就有点摇晃。不过这还不算问题，因为与初航的紧张比起来，激动之情占了上风。好像故意要显示一下与大海搏斗的男子气概似的，鲁滨逊拉长了他那低沉的男中音：

“远航——远航——船离开海岸要远航——”

就在这时，他忽然觉得额头上掉下几滴冰凉的水珠。怎么会有水呢？鲁滨逊疑惑地抬头望着天空。这回，有几滴水珠准确地掉到了他的鼻孔里。

“阿——阿嚏！”

随着一声喷嚏，鲁滨逊的耳边传来了轰隆的雷声。下雨了。

雨中的大海出人意料地变得可怕起来。天空一下子黑了，浪涛翻卷着小小的竹筏。鲁滨逊抓起桨，不顾一切地拼命往回划。老天爷好像不太愿意让他离开似的。

第二天，鲁滨逊被河边聒噪的蛙鸣声从睡梦中吵醒。

“今天必须要出发了。”

但是这次，鲁滨逊还没划出去几百米就又遇到了雨，不得不折了回来。

“这到底是怎么回事呀？难道雨季又开始了？”鲁滨逊一边埋怨着不合作的老天，一边在沙滩上拾贝壳。可是今天沙滩上竟然找不到什么能当食物的东西，只有几只水母。回到茅屋后，鲁滨逊一头倒在床上，自言自语道：“看来，今天真不是个好日子。”

“嘿，滨逊，吃饭了吗？”

老鲁滨逊带着他那惯有的嘲弄式笑容又出现了。

“最近老不见，我还以为你移民了呢，怎么现在又出来了？”

鲁滨逊虽然并不乐意看见他，不过还是点了点头，不管怎么说，礼貌还是要讲的。

“滨逊，我问你个问题。”

“什么？”

“下雨天还出海的傻瓜叫什么？三个字。”

“？”

“不知道吧？那我教你好了，三个字，这种傻瓜就叫‘鲁滨逊’，记住了吧？哈哈哈哈！有意思吧？”

“你这位大叔可真是……”

鲁滨逊突然愤怒起来。自己心里已经够窝火的了，老鲁滨逊这个家伙竟然还在这儿幸灾乐祸。忍无可忍的鲁滨逊冲着老鲁滨逊大声嚷嚷起来。

“那是老天爷发神经，关我什么事。无人岛又没有天气预报。”

“要是没有天气预报，还能说是傻瓜吗？”

鲁滨逊气得眉毛拧成一团，可是老鲁滨逊好像没看见似的，仍旧自顾自地说：“听好了，如果晚霞格外清楚的话，第二天就是倾盆大雨！如果没有风，又闷又热，第二天肯定会下暴雨！青蛙叫个不停，也会是雨天！过去三天里，你自己不也看到这些现象了吗？还说无人岛上没有天气预报，真好笑！”

“……”

“要不要我再教你一条？你刚才在海边是不是看见水母了？”

“那又怎么样？”

“如果水母靠近岸边，就是暴风的预兆。你要是明天还出海，不一会儿就会软得像水母那样了。”

“呃……”鲁滨逊低低地哼了一声，心想：老鲁滨逊虽然调皮，可并不是个会撒谎的人。那么，难道我就没法去海那边了吗？

望着鲁滨逊忧郁的脸，老鲁滨逊咂咂嘴，又说：“你还真傻。”

“为什么？”

“动动脑子呀。既然下雨的日子有天气预报，那不下雨的日子也应该……”

这时，鲁滨逊才如梦方醒，大声喊道：“请教教我吧！”

“不行。”

“鲁滨逊·克鲁索大叔，拜托您了！帮帮忙吧——”

老鲁滨逊一脸为难地挠着头，思索了半天才说：

“那你这么空着手可不行。”

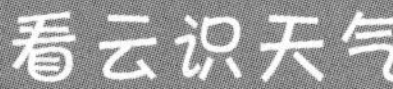

天气预报可不是只有电视或者收音机中才有的，用眼睛观察到的自然现象也可以成为准确率很高的天气预报。其中最准确的方法就是利用云。通过观察天空中云的高度和形态，几乎可以像气象台一样准确地预测出第二天的天气。

高云

- 卷云：这是最高的云。云底出现在距离地面大约6～12千米的高空，形态像用梳子在梳头。如果像卷发一样，有很多弯曲，并有纤细的褶皱，就是预示晴天的清卷云；如果形态呈放射状或者带状，就会变成会下雨的暖层云，也就是雨云。

- 卷层云：这是出现在卷云下边的云。它的形态就像在天上蒙了一块白色的面纱一样。这种云会引起日晕或者月晕，通常被看作要下雨的征兆。

- 卷积云：出现在卷层云的旁边或者正下方。一团团的，就像鱼鳞一样，也有点像白色的贝壳。这种云如果出现在冬天的海岸，就是要下雨的征兆。

中云

- 高积云：形态像羊群一样，是圆圆的一团，通常出现在卷积云下面几千米的地方。如果这种云变小，天气就会放晴，相反，如果变大，天气就会变坏。
- 高层云：像白色遮阳棚一样布满整个天空。云薄的时候，会引起像朦胧月夜一样的现象。变厚或者向下沉的时候，就会变成阴天或者下雨。
- 暖层云：没有清楚的轮廓，覆盖在整个天空，会带来雨雪。

下云

- 层积云：特点是像海浪一样一层层的，云和云之间能看到晴朗的天空。从飞机上看到的云海全都是这种云。白天的积云如果在傍晚时变成层积云，第二天就会是晴天，反之则是下雨的征兆。
- 层云：出现在高度1千米以下的低空中，形态就像空中弥漫的雾。如果清晨出现，白天消失，就是晴天。但是，如果这种云在高层云底下并围绕着山腰或者峡谷的话，就会下雨。

垂直跨度很大的云

- 积云：这是飘浮在晴朗的天空中的云团。如果傍晚时消散的话，第二天就会是晴天；如果一直到深夜还有，或者飘到西北边，就是要下雨的征兆。

积乱云：这是从 1 千米高的地方开始，一直涌到卷云的高度的大云团。这种云出现时，经常会下大暴雨，同时还伴随着雷声。

云的种类和形态

乘上竹筏寻找希望

“看样子老鲁滨逊说得不错，看今天天气多好！”

鲁滨逊满意地把竹筏推向了大海，然后奋力挥动竹桨向前划去。暴风过后的海面像一面巨大的蓝色镜子，平静安详。树叶做的帆也在微风中鼓了起来。

鲁滨逊闭上眼睛，脑海中像放电影似的回忆起在岛上度过的这些日子：在无人岛的海边第一次睁开眼睛时的晕眩，只有几滴露水润嗓子时的干渴，第一次点着火时的喜悦，在茅屋里度过的第一个晚上，还有暴雨中的绝望和妈妈带给他的勇气……此刻，所有的艰辛瞬间都变得美好起来，让鲁滨逊觉得自己恍如在梦中一般。

“如果真的能遇到人，回到家以后，我一定还要再来这里一次，和妈妈、末淑，还有朋友们一起。不，可能还是像现在这样一个人来比较好。这可是保留了我永远无法忘怀的二十岁记忆的地方啊。”

可是，万一海平线那边什么都没有呢？鲁滨逊想，即使那样自己也不会失望。因为他已经明白，比离开这里更重要的是勇气和希望。就算发现不了陆地，也照样可以守着无人岛，坚强地生活下去。

“今天晚上我会在哪里呢？会在新的土地上和其他人在一起吗？还是不得不返回无人岛，度过一个孤独的夜晚？”

鲁滨逊摇了摇头，把这种想法从脑中挥去。孤独的夜晚？现在，他再也不会有孤独的夜晚了。就算今天发现不了陆地，明天可以换个方向。后天可以再换个方向。总有一天会成功的。

这样看来，其实神还是很保佑鲁滨逊的。飞机失事的时候，没有让死亡的灾难降临到他头上，反而给他带来了一个叫作无人岛的祝福。

“妈妈，等着我。现在我已经离妈妈越来越近了。末淑，等我回去。”

驶到辽阔的海中央后，鲁滨逊又回头望了望。那个度过了一百个日夜，经历了绝望、挫折和希望的小岛，已经越来越远，快看不见了。头顶上，几只水鸟欢快地边叫边盘旋着。

你知道吗？

如果真的流落到无人岛上，最需要的东西是什么呢？最好有一把多用途的刀，就像鲁滨逊的那把瑞士军刀一样。有了刀，就可以挖野菜、制作工具，还可以刻下日期。如果想点火，就要有放大镜、打火机或者制作水镜头和收集露水时使用的塑料。如果想确定方向，就要有罗盘。如果有绳索，就可以在盖房子或者打猎时派上大用场。不过，在所有这些物品当中，最重要的还是各位此时正在阅读的这本《男孩的科学冒险书 1：征服无人岛绝境》！

S·O·S
真想吃碗
冷面啊。

图书在版编目(CIP)数据

男孩的科学冒险书.1/〔韩〕朴常俊,〔韩〕朴敬洙著;〔韩〕李宇一绘;杨俊娟译.—海口:南海出版公司,2010.6

ISBN 978—7—5442—4827—3

Ⅰ.①男… Ⅱ.①朴…②朴…③李…④杨… Ⅲ.①科学幻想小说—韩国—现代 Ⅳ.①I312.645

中国版本图书馆CIP数据核字(2010)第118709号

著作权合同登记号 图字:30—2010—054

本书由韩国文学翻译院资助发行